D マーク

- このマークがあるページでは，インターネットを使った学習ができます。
- インターネットを使うときは，まず，先生や保護者に相談しましょう。
- インターネットに接続するときは，下のアドレスやマークのどちらからかアクセスしましょう。

https://tsho.jp/02p/s6b/

［アドレス］　　　　　　　［マーク］

＊ Dマークのコンテンツの使用料は発生しませんが，通信費は自己負担となります。

● Dマークリスト

＊このほかに，学習の参考になるホームページもしょうかいしています。

▶（教科名）　**教科関連マーク**　　● このマークがあるところは，ほかの教科の内容とかかわりがあります。

歴史学習の基本をおさえよう ①
～身近にある歴史を見つけよう～

　貝塚とは，大昔の人々が食べた貝のからなどがたい積した場所です。

　加曽利貝塚には，今から約5000年前から3000年前までのくらしの跡が残されています。

　このころは，まだ米づくりは始まっていなかったそうです。米づくりが始まると，人々のくらしはどのように変わったのだろう。
（めい）

●16ページ

↑①加曽利貝塚　日本最大級の貝塚です。2017（平成29）年10月に国の特別史跡に指定されました。

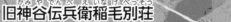

旧神谷伝兵衛稲毛別荘

千葉神社

加曽利貝塚

千葉市立郷土博物館

　わたしたちの住んでいる地域にもたくさんの歴史があるから，いろいろな史跡を調べてみよう。

貝塚ができたころの海岸線の位置は，今と同じだったのかな。

次は，国立歴史民俗博物館へ行ってみよう。

国立歴史民俗博物館

佐倉市武家屋敷

まなび方コーナー

身近な歴史を見つける
地域のフィールドワーク

【事前に下調べをする】
● 年表，歴史辞典，関係する本，インターネットなどを活用して，時代，できごと，関係する人物をおさえる。
● 地図やインターネットなどで場所や行き方を確認する。

【現地へ行って調べる】
● 建物や史跡の全体や周りを見る。
● 背景を入れて写真をとる。説明してある看板などを読む。
● 地域の人や学芸員に話を聞く。

【もどってから確認する】
● うまく調べられたか，わからないことが残っていないかを確認する。
● 新しい疑問などがあれば，お礼をかねて学芸員などに確認する。

↑2 千葉神社　1000年以上の歴史がある神社です。下総の国（現在の千葉県北部と茨城県の一部）を中心に活やくした千葉氏の守護神としてあがめられました。

 この神社ができたころは，どんな人たちが活やくした時代だったのだろう。（りく）
● 37ページ

調べたことをカードや地図にまとめて，みんなに教えたいな。

平川町（平川町内会文書）

↑3 旧神谷伝兵衛稲毛別荘　約120年前にフランスからワインの醸造技術を導入するなどして活やくした実業家の別荘として建てられました。現在は文化財として公開されています。

 このころ，ほかに外国からどんな技術が導入されたのだろう。（ひろと）
● 108ページ

↑4 地域に伝わる古文書

今でも年に一回，虫食いやカビを防ぐために古文書の「虫干し」が行われ，地域の人々に公開されています。平川町には，当時の絵図にえがかれた風景が今も残っています。

 今でも残されている地域の資料から，当時のどのようなくらしがわかるのだろう。（あおい）

歴史学習の基本をおさえよう ❷
～歴史博物館へ行こう～

↑ 1 国立歴史民俗博物館（千葉県佐倉市）

おくに見える大きな船は北前船ね。北海道と大阪を結んでいたんだって。（ゆうな）

まなび方コーナー

博物館を見学する
国立歴史民俗博物館

● 事前に，見学先の博物館の展示物をある程度調べておき，筆記用具なども用意しておく。

● 見学するときは「博物館見学ポイント」を参考にする。

博物館見学ポイント
観察する ❶

展示物をよく観察して，気づいたことをメモしよう。

こんなに近くで観察できるから，いろいろなことがわかるね。

1876（明治9）年，山梨県に建てられた，春米学校の模型です。西洋風の建築でおしゃれです。（あおい）

昔の町並みが模型で再現されているよ。当時の人々のくらしが見えてくるよ。（こうた）

国際社会のなかの近世日本

Early Modern Japan and the International Community
近代早期国際社会中的日本
국제시회에서의 근세일본

博物館見学ポイント
考える 2

観察して気づいたことをもとに，当時の人々の様子や今のくらしとのちがいなどについて，じっくり考えてみよう。

博物館見学ポイント
体験する 3

さわったり，つくったり，その場で体験できるものがあれば，やってみよう。

土器を復元する

昔の文字を書く

食事を再現する

歴史学習の基本をおさえよう ❸
～年表の見方を知ろう～

まなび方コーナー

年表を読み取る
年表の見方を知る

【西暦とは】
- 年表では，できごとを表すのに「西暦」を用いている。
  「西暦」は，イエス・キリストが生まれたと考えられた年を西暦1年として数えている。

【世紀とは】
- 年表の100年ごとの目盛りをひとまとめにして，「世紀」とよぶ。西暦1年から100年までが1世紀，2001年から2100年までは21世紀となる。

【時代とは】
- 日本の歴史では，「奈良時代」「江戸時代」など，国の政治が行われた場所などをもとに時代が区切られ，名前がつけられている。
- 下の年表は等尺年表といい，それぞれの時代がどのくらいの長さなのかを示している。

世紀について，よくわかったかな。次の質問に答えてみよう。

- 101年は何世紀か → ☐☐ 世紀
- 1650年は何世紀か → ☐☐ 世紀

	5500年前	5000年前	4000年前
西暦			
世紀			
時代		縄文	

それぞれの時代の人を調べよう

紫式部が書いた「源氏物語」は，その時代の貴族のくらしと深いかかわりがあるみたい。

これからそれぞれの時代を学習していく中では，活やくした人物に注目していきましょう。

源頼朝の活やくによって，社会はどのように変わっていったのかな。

「だれだろう？歴史人物」「学習を深めよう　歴史年表」「ビンゴ！都道府県かるた」「都道府県いくついえるかな？」

時代とできごとをつなげよう

年表の見方を学んで，これからの歴史学習に役立てよう。教科書の巻末年表も活用しようね。

それぞれの絵や写真が，どの時代になるか，例にならって，つないでみよう。

↑③長篠の戦い（1575年）

教科書のどのページに出てくるか，後で確認してみるといいね。

↑①東大寺の大仏づくり（752年）

3000年前　　2000年前　　1000年前　500年前　100年前　現在

1 100　　500　　1000　　1500　　2000年

1　　5　　10　　15　　20

弥生　古墳　飛鳥　奈良　平安　鎌倉　室町　江戸　昭和　令和
安土桃山　明治　大正　平成

船に乗って，たくさんの人が戦ったんだね。着ているものも今とちがうよ。

↑②壇ノ浦の戦い（1185年）

↓④大日本帝国憲法の発布（1889年）

↓⑤東京オリンピック（1964年）

何年にどんなできごとがあったかを知ると，その時代の特色が見えてくるね。

等尺年表

200年間を1cmとするなど，その時代がどのくらい続いたのか，一目でわかる年表のことです。

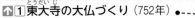

7

→ 1 三内丸山遺跡　縄文時代の遺跡としては，これまでにない大きな建造物の跡（あと）などが見つかっています。

↑ 2 復元された大型掘立柱建物（ほったてばしら）　掘立柱の建物は高さが約15mあり，物見やぐらか祭りに関係した施設（しせつ）ではないかといわれていますが，まだわかっていません。

← 3 復元されたたて穴住居　地面を浅くほり，屋根は草などでふいてつくります。家族4〜5人で住んでいました。

1　縄文（じょうもん）のむらから古墳（こふん）のくにへ

つかむ

縄文のむらのくらしの様子について話し合いましょう。

```
0    500km
```

三内丸山遺跡（さんないまるやまいせき）

大昔のむらのくらし　ここは，青森県（あおもり）青森市にある三内丸山遺跡（さんないまるやまいせき）です。りくさんたちは，今から約5500年前の人々がくらしていたこの遺跡を見学して，いろいろなことを発見しました。

「このころの人々は，たて穴（あな）住居という家に家族で住んでいました。入り口はせまいけれど，中は意外に広かったです。」5

「人々は，力を合わせて，野山の動物，木の実，山菜，海や川の魚，貝などを手に入れて，生活していました。」10

世紀	時代
	縄文
	弥生
3	
4	
5	古墳
6	
7	飛鳥
8	奈良
9	
10	平安
11	
12	
13	鎌倉
14	
15	室町
16	安土桃山
17	
18	江戸
19	
20	明治／大正／昭和／平成
21	令和

三内丸山遺跡の主な出土品

人々は，石や木，動物の骨や角などを割ったり，けずったりして，さまざまな道具をつくっていました。

↑④縄文土器　このころ使われていた土器は，表面に縄目の文様がつけられているので，縄文土器とよばれています。

↓⑦つり針
（長さ約4cm）

→⑤土をほるための棒（長さ約75cm）

↑⑥木の皮をあんでつくった入れ物（約15cm）

←⑧石皿とすり石

採集（海や川）

春

木の芽　わらび
しじみ　あわび
ひらめ　あいなめ
たて穴住居　ぶり
むささび　かつお　たい
漆器
のうさぎ　たら　土器　石器　まぐろ　にわとこ
狩り　かも　どんぐり　さるなし
とち　やまぐわ
くり　くるみ　やまぶどう

冬　夏　秋

採集（山や森）

漁

↑⑨縄文時代の人々の1年の生活（三内丸山遺跡の資料をもとに作成）

→⑩土偶（青森県八戸市出土）　豊作をいのる様子ともいわれている人形（土偶）です。国宝

↑⑪縄文時代の食事（復元）

「生活に必要な道具は，骨や石や木から，自分たちでつくっていました。」

「食べ物をにたり，たくわえたりするには，ねん土を焼いてつくった縄文土器という器が使われました。」

「だから，このころを縄文時代というのだね。縄文時代は，1万年近くも続いたそうです。」

「縄文時代は，何日も食べ物が手に入らないことが多かったようです。食べ物がないと，安心してくらせないね。」

もっと縄文時代を知るために
～「貝塚」を見学しよう～

　縄文時代の人々は，食料として食べた貝がらや動物の骨を捨てる場所を決めていました。そのため，むらがあった場所の近くの地層からは，貝がらや動物の骨，土器のかけらなどが発掘されます。こうした遺跡を「貝塚」とよびます。

　「縄文時代」という名称は，東京都大田区・品川区にある大森貝塚で発見された土器から考えられました。

←⑫静岡県浜松市の蜆塚貝塚

つかむ

縄文時代と弥生時代の想像図を見比べながら話し合い，学習問題をつくりましょう。

[1] 縄文時代のくらし（想像図）
青森県三内丸山遺跡の発掘状況をもとに作成

春 夏 秋 冬

↑① 米づくりの様子（想像図） 板付遺跡における春，夏，秋，冬の農作業の様子です。むらの人々は，指導者を中心に力を合わせて米づくりに取り組みました。

つかむ

米づくりが始まった
ころのむらや人々の様子
について見てみましょう。

0 ____ 500km

板付遺跡

板付遺跡と米づくり 福岡県福岡市にある板付遺跡は，今から約2300年前の遺跡で，上の想像図にえがかれているような**米づくり**が行われていました。西日本を中心に米づくりが広がっていったこの時代を，弥生時代といいます。

「板付遺跡では，どのような道具を使って米をつくっていたのかな。」

5

> ことば
>
> **米づくり** 米は，一つぶから10倍以上の収穫を得られるばかりでなく，保存ができ，栄養もあるので，人々の生活の安定に役立ちました。米づくりが伝わることにより，社会の様子も大きく変わっていきました。

発掘された2300年前のくらしの様子

↑②弥生土器 このころ使われた土器を弥生土器といいます。弥生町（現・東京都文京区弥生）というところで初めて発見されたので、弥生土器とよばれるようになりました。

↑③石包丁と使い方 石包丁を使って、稲の穂をかり取りました。

→④木製のくわ

←⑤遺跡から見つかった米

米づくりは、どこから伝わってきたのかな。

↑⑥米づくりの伝わった道 米づくりは、1万年ほど前に中国で始まり、日本に伝わったといわれています。

▶ 12〜15ページの想像図を見て、学習問題をつくりましょう。

学習問題 について予想しよう

生活が安定して、むらが大きくなっていったのではないかな。

むらをまとめる強い力をもった人が現れたんじゃないかな。

学習計画 を立てよう

調べること

①人々の服装や食事、住居について

②強い力をもった人の登場について

③むらのその後の変化について

調べ方

● 調べたい内容を教科書を使って調べる。

・教科書の本文にまとめられていることを読む。

・写真やイラスト、地図などから、説明文を手がかりに情報を読み取る。

・ **ことば** をよく読み、手がかりを得る。

● 教科書以外のものを利用する。

・図書館の本を利用しよう。

・博物館や資料館で資料を探そう。できれば、学芸員の人にも話を聞こう。

・博物館などのホームページから調べよう。

まとめ方

● 学習問題について調べてきたことをノートや表、カードなどに整理する。

● 各ページに登場した **ことば** を活用する。

● 調べたことと自分が考えたことを分けて書く。

学習問題 ·····

　米づくりが始まったことで，
人々のくらしや世の中は，
どのように変わっていった
のでしょうか。

15

調べる

米づくりの広がりによって，むらの様子はどのように変わったのでしょうか。

0 ─── 500km

吉野ヶ里遺跡

↑2 復元された大型建物　約16mの高さで，祭殿として使われ，強い指導者がいたのではないかと考えられています。

↑3 矢じりがささったままの人骨

←4 吉野ヶ里遺跡で発掘されたかめ棺

↑1 復元された吉野ヶ里遺跡

むらからくにへ　米づくりが広がっていくと，人々の生活の様子も大きく変わっていきました。佐賀県吉野ヶ里町にある吉野ヶ里遺跡は，1〜3世紀ごろの弥生時代後期の遺跡で，集落のまわりが，大きな二重の堀やさくで囲まれています。　5

弥生時代には，倉庫にたくわえられた食料や種もみ，田や用水，鉄の道具などをめぐって，むらとむらとの間で争いが起こるようになりました。

やがてむらの指導者は，強い力をもってむらを支配する豪族になっていきました。豪族の中には，10まわりのむらを従えてくにをつくり，王とよばれる人も現れました。

青銅器や鉄器が使われるようになって、どのような変化があったのかな。

吉野ヶ里遺跡から出土したもの

→⑤銅鐸 祭りに使われた道具で、島根県で発見されたものと同じ鋳型でつくられたことが判明しました。

↑⑦かざりの管玉

←⑥銅剣

←⑧貝でつくったうで輪 奄美大島から南の浅い海などに生息している貝が使われています。

↑⑨復元された巴形の銅器

↑⑩鉄製の小刀

↑⑪中国製の貨幣

また、吉野ヶ里遺跡からは、大陸から伝わったと思われる鉄器・青銅器、麻や絹でつくった布、南方の貝でつくったうで輪などが出土しています。それらの出土品から中国や沖縄、出雲地方（島根県）と交易をしていたこともわかっています。

各地の王や豪族たちは、大陸の技術や文化を積極的に取り入れ、くにづくりに役立てました。

倭（日本）の国の王は、もとは男性が務めた。従えていたくにぐにが争いを起こし、戦いが続いたので、相談して、卑弥呼という女性を王に立てた。卑弥呼は、よくうらないをして、人々をひきつけるふしぎな力をもっていた。

女王になってからは、ほとんど人に会わず、女の召使い1000人に、身のまわりの世話をさせていた。宮殿、やぐら、さくのまわりは、いつも兵士が守っていた。

また、卑弥呼は、中国に使いを送り、おくり物をしたので、中国の皇帝は、そのお返しに卑弥呼に倭王の称号をあたえ、織物や銅の鏡などを授けた。

←⑫中国の古い時代の本（部分要約）に書かれている卑弥呼 卑弥呼が治めていたくには邪馬台国とよばれ、30ほどのくにを従えたとされています。

データ
●工事期間　　　15年8か月
●動員人数　　　のべ680万7千人
　＊1か月25日，1日8時間働い
　　たとして計算
●総費用　　　　796億円
●はにわ製作費　60億5千万円
　＊現在のお金の価値で計算

↑①仁徳天皇陵古墳　周辺には多くの古墳が残り，百舌鳥古墳群とよばれています。世界遺産

調べる

古墳は，何のために，どのようにして，つくられたのでしょうか。

0　　500km

仁徳天皇陵古墳

> **ことば**
>
> **古墳**　古墳から当時のすぐれた土木技術がわかるとともに，その大きさや副葬品などから，古墳にほうむられた人物の力の大きさが想像されます。特に巨大な古墳は，近畿地方に多く見られます。

巨大古墳と豪族

日本各地には，小山のように大きな**古墳**とよばれる遺跡が残っています。これらは，3〜7世紀ごろに各地で勢力を広げ，くにをつくりあげた王や豪族の墓です。

大阪府堺市の仁徳天皇陵古墳（大仙古墳）は，5世紀につくられた日本最大の古墳です。全長は486m，高さは35mあり，つくられた当時は，表面に石がしきつめられ，たくさんのはにわが並んでいたと考えられています。また，内部には石室（遺体をほうむる部屋）が

486m

305m

5

10

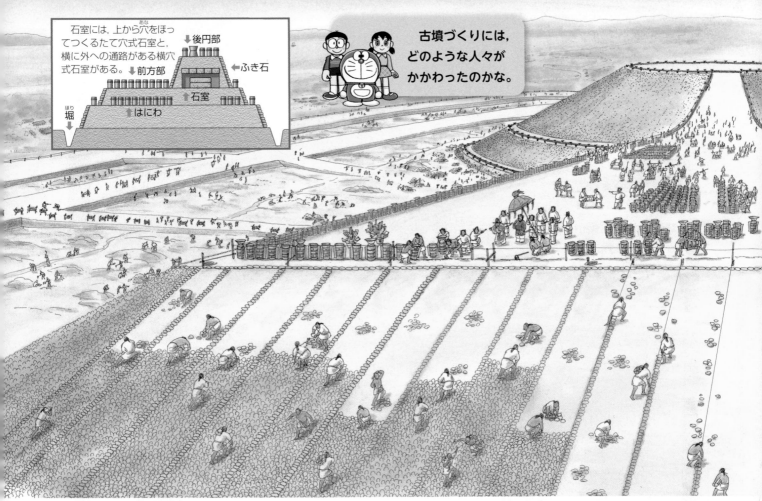

石室には，上から穴をほってつくるたて穴式石室と，横に外への通路がある横穴式石室がある。

↓後円部
←ふき石
↓前方部
石室
堀
はにわ

古墳づくりには，どのような人々がかかわったのかな。

↑②古墳を築いている様子（想像図）

つくられていました。

　古墳を築くには，すぐれた技術者を指図し，多くの人々を働かせることのできる大きな力が必要であったと考えられています。その力の大きさは，
5　古墳の内部の様子や出土品からもわかります。

　古墳には，さまざまな形のものがあり，九州地方から東北地方まで各地につくられています。古墳は全国で16万基以上あるといわれています。その中でも，前方後円墳には，古いものや大きい
10　ものがたくさん見られます。各地に古墳がつくられた時代を古墳時代といいます。

円墳　　方墳　　前方後円墳

↑③古墳の種類

石室の様子と出土品
〜森将軍塚古墳（長野県千曲市）〜

ひすい製の勾玉　　管玉　　土器

朝顔形のはにわ　　つぼ形のはにわ　　鎌

↑④古墳からの出土品

↓⑤復元された石室

国土は，どのように
統一されていった
のでしょうか。

古墳は，どのように
広がっているのかな。

←① 熊本県江田船山古墳
から出土した鉄刀 国宝

※主な前方後円墳

→② 埼玉県稲荷山古墳
から出土した鉄剣 国宝

「ワ□□□ル大王」

埼玉県稲荷山古墳

大和地方

大阪府仁徳天皇陵古墳

熊本県江田船山古墳

「ワカタケル大王」

0 200km

↗③ ワカタケル大王と二つのはなれ
た地域の古墳（前方後円墳の分布）
5世紀後半の大和朝廷の大王だった
ワカタケルは，中国に送った手紙に，
多くのくにを従えたと書きました。埼
玉県と熊本県の前方後円墳から「ワカ
タケル大王」の名前が刻まれた刀剣が
見つかっており，大和朝廷の力の広が
りがわかります。

ワカタケルの手紙

わたしの祖先は，みずからよろいや
かぶとを身につけ，山や川をかけめぐ
り，東は55国，西は66国，さらに海
をわたって95国を平定しました。
（中国へ送ったものの要約）

大和朝廷（大和政権）と国土の統一

今の近畿地方には，大きな前方後円墳がたくさんつくられていたことがわかっています。このことは，この地域に大きな力をもった豪族（王）たちが早くから現れ，それぞれのくにを治めていたことを示しています。 5

その中で，奈良盆地を中心とする大和地方に，より大きな力をもつ国が現れました。この国の中心になった王を大王（後の天皇），この国の政府を**大和朝廷**（大和政権）といいます。 10

←↓④⑤復元されたのぼりがま（左，大阪府高槻市）と新しい土器（下）　大陸から伝えられたのぼりがまによる新しい製法によって，これまでよりうすくてじょうぶな土器がつくられるようになりました。

いつごろ	主なできごと
5500年前	三内丸山遺跡
2300年前	板付遺跡
1世紀	吉野ヶ里遺跡
3世紀	女王卑弥呼のくにが栄える 古墳がつくられ始める
4世紀	大和朝廷の力が強まる 渡来人が大陸の文化を伝える
5世紀	仁徳天皇陵古墳がつくられる 漢字が伝わる
6世紀	仏教が伝わる

↑⑥日本の国の成り立ち

　大和朝廷は，5〜6世紀ごろには，九州地方から東北地方南部までの豪族や王たちを従えるようになりました。また，このころ，中国や朝鮮半島から日本列島へわたってきて住みつく渡来人が大勢いました。渡来人の中には，建築や土木工事，焼き物などの技術を身につけた人々がおり，進んだ技術を日本にもたらしました。大和朝廷は，こうした大陸からもたらされる技術や文化を積極的に取り入れました。

ことば

大和朝廷　大和地方の豪族たちが，4世紀ごろに大王を中心にまとまってつくった国の政府です。大和朝廷が各地に勢力を広げるのにともなって，国としての日本の形がしだいにできあがっていきました。

神話に書かれた国の成り立ち

　8世紀ごろ，「古事記」や「日本書紀」といった書物が天皇の命令でつくられました。これらには，大昔のこととして，天からこの国土に下った神々の子孫が，大和地方に入って国をつくり，やがて日本の各地を統一していった話などがのっています。ヤマトタケルの話もその一つで，複数の人物の事業を一人の人物の話としてあらわしたのではないかと考えられています。

　また，各地の人々の生活の様子や地域の自然などを記した「風土記」も8世紀ごろにつくられました。現在は「出雲国（現在の島根県）風土記」の内容だけが，完全な形で伝えられています。

　ヤマトタケルノミコトは，武勇にすぐれた皇子でした。ヤマトタケルは，天皇の命令を受けて，九州へ行って，クマソを平らげ，休む間もなく，東日本のエミシをたおしました。

　ヤマトタケルは，広い野原で焼きうちにあったり，あれる海とたたかったりして，苦労をしながら征服を進めました。

　ところが，都へ帰る途中，病気でなくなってしまいました。すると，ヤマトタケルのたましいは，大きな白鳥に生まれ変わって，都の方へ飛んでいきました。

↑⑦神話の中のヤマトタケル

この小単元で学習したのは，約5500年前から約1500年前までの約4000年間です。
約6000年前から現代までを，1本の「年代ものさし」に表してみました。

まとめる

学習問題について
調べてきたことを
ノートに整理し，
新聞にまとめましょう。

学習問題を確認（かくにん）しよう。

学習問題 ・・・・・・・・・・・・・・・・・・・・・・・・・・・

米づくりが始まったことで，人々のくらしや
世の中は，どのように変わっていったのでしょうか。

① 学習問題について
調べてきたことを
ノートに整理しよう。

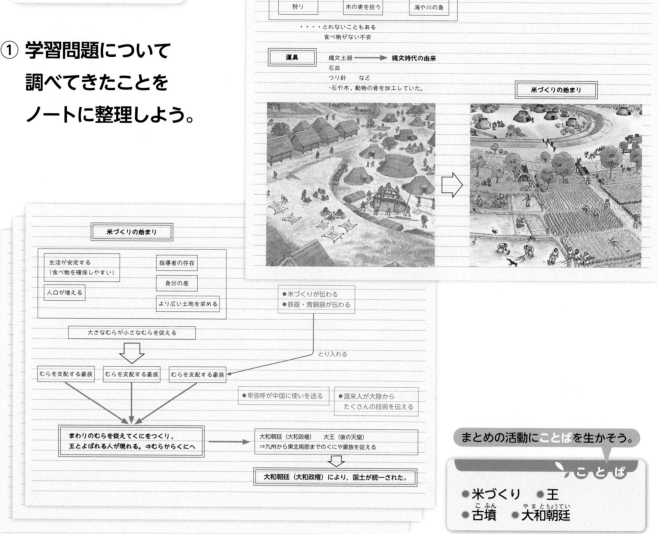

まとめの活動にことばを生かそう。

ことば

● 米づくり　● 王
● 古墳（こふん）　● 大和朝廷（やまとちょうてい）

②学習をふり返り，調べてきたことを整理して新聞をつくろう。

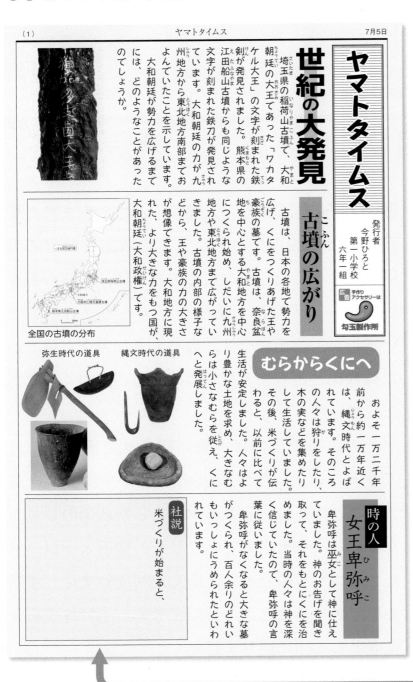

（1）　ヤマトタイムス　7月5日

ヤマトタイムス

発行者
今野ひろと
第一小学校
六年一組

広告　手作りアクセサリーは
勾玉製作所

世紀の大発見

古墳の広がり

埼玉県の稲荷山古墳で、大和朝廷の大王であった「ワカタケル大王」の文字が刻まれた鉄剣が発見されました。熊本県の江田船山古墳からも同じような文字が刻まれた鉄刀が発見されています。大和朝廷の力が九州地方から東北地方南部までおよんでいたことを示しています。大和朝廷が勢力を広げるには、どのようなことがあったのでしょうか。

古墳は、日本の各地で勢力を広げ、くにをつくりあげた王や豪族の墓です。古墳は、奈良盆地を中心とする大和地方につくられ始め、しだいに九州地方や東北地方まで広がっていきました。古墳の内部の様子などから、王や豪族の力の大きさが想像できます。大和地方に現れた、より大きな力をもつ国が、大和朝廷（大和政権）です。

全国の古墳の分布

弥生時代の道具　縄文時代の道具

むらからくにへ

およそ一万二千年前から約一万年近くは、縄文時代とよばれています。そのころの人々は狩りをしたり、木の実などを集めたりして生活していました。その後、米づくりが伝わると、以前に比べて生活が安定しました。人々はより豊かな土地を求め、大きなむらがつくられ、小さなむらを従え、くにへと発展しました。

時の人 女王卑弥呼

卑弥呼は巫女として神に仕えていました。神のお告げを聞き取って、それをもとにくにを治めました。当時の人々は神を深く信じていたので、卑弥呼の言葉に従いました。卑弥呼がなくなると大きな墓がつくられ、百人余りのどれいもいっしょにうめられたといわれています。

社説
米づくりが始まると、

日本と隋には，どのようなつながりがあったのかな。

→①隋の皇帝

—— 遣隋使の交通路

難波津
飛鳥
博多津
黄河
洛陽
長安
長江
中国（隋）

0 1000km

↑②7世紀初めの東アジア

↑③聖徳太子

2 天皇中心の国づくり

つかむ

聖徳太子が行った政治について整理し，学習問題をつくりましょう。

小野妹子が持参した国書

中国の歴史書によると，国書の書き出しには，「日がのぼる国の天子，国書を日がしずむ国の天子に届けます」と書かれており，隋と対等な関係を結ぼうとしたと考えられています。

ことば

天皇 7世紀のころから，よび名がそれまでの大王から天皇に変わっていきました。神話では，国をつくった神々の子孫とされており，その地位は，時代をこえて続きました。

聖徳太子の国づくり 天皇の子として生まれた聖徳太子は，20才のときに天皇の政治を助ける役職につきました。そのころの日本は，豪族がたがいに争い，天皇は，豪族を従えるのに苦労していました。聖徳太子は，当時大きな力をもっていた蘇我氏とともに天皇中心の新しい国づくりにあたりました。 5

そのころ中国では，長い間南北に国が分かれて争っていましたが，589年に隋が中国を統一しました。隋では，皇帝を中心とした政治のしくみが整い，文化も栄えていました。聖徳太子は，新しい国づくりのために，進んだ制度や文化，学問を取り入れることが必要だと考え，小野妹子らを使者として隋に送りました（遣隋使）。 10

国内の政治では，聖徳太子は冠位十二階を定め， 15

世紀	時代
	縄文
	弥生
3	
4	
5	古墳
6	
7	飛鳥
8	奈良
9	
10	平安
11	
12	
13	鎌倉
14	室町
15	
16	安土桃山
17	
18	江戸
19	
20	明治 / 大正 / 昭和
21	平成 / 令和

↑④現在の法隆寺（奈良県斑鳩町）　法隆寺は7世紀後半に火災にあい，その後再建されましたが，現存する世界最古の木造建築です。国宝 世界遺産

　家柄に関係なく能力や功績で役人を取り立てました。そして政治を行う役人の心構えを示すために，十七条の憲法を定めました。また，仏教をあつく信仰していた聖徳太子は，法隆寺などを建てて，

5　仏教の教えを人々の間に広めようとしました。

　　しかし，聖徳太子は，豪族の力を十分におさえることができず，622年に49才でなくなりました。

　　「聖徳太子の国づくりの考えは，この後だれかに受けつがれていくんじゃないかな。」

10　「受けつぐとしたら，だれがどのように受けついでいったのかな。」

法隆寺

十七条の憲法（一部）

第1条　人の和を第一にしなければなりません。

第2条　仏教をあつく信仰しなさい。

第3条　天皇の命令は，必ず守りなさい。

第12条　地方の役人が勝手に，みつぎ物を受け取ってはいけません。

↑⑤十七条の憲法　政治を行う役人の心構えなどが書かれてあり，聖徳太子の政治の理想がわかります。

年	主なできごと	
574	聖徳太子が生まれる	
589	◆隋が中国を統一する	6世紀
593	聖徳太子が天皇を助ける役職につく	
603	冠位十二階を定める	
604	十七条の憲法を定める	
607	遣隋使を送る	
	法隆寺を建てる	
618	◆隋がほろび，唐がおこる	7世紀
622	聖徳太子がなくなる	
630	遣唐使を送る	
645	中大兄皇子らが蘇我氏をたおす	
694	最初の本格的な都(藤原京)がつくられる	
701	新しい法律を定める	
710	都が平城京（奈良県）に移る	8世紀
724	聖武天皇が位につく	

↑⑥聖徳太子とその後の主なできごと

学習問題

　聖徳太子がめざした天皇中心の国づくりは，だれが，どのように受けついでいったのでしょうか。

25

↑ 1 飛鳥宮跡 中大兄皇子と中臣鎌足らによって、蘇我入鹿が殺された場所といわれています。

→ 2 藤原京の復元模型 天智天皇(中大兄皇子)の死後、二人の天皇によってつくられた都です。中国の都にならって、道路が碁盤の目のように区切られていました。都の中央にある藤原宮の中には、政治や儀式を行う大極殿がありました。

調べる

聖徳太子の死後、だれが、どのような国づくりを進めたのでしょうか。

↑ 3 日本初の水時計(復元) 中国では、時間の管理も皇帝の仕事とされていました。中大兄皇子は、水時計をつくり、天皇がすべてを管理する体制をめざしました。

大化の改新と天皇の力の広がり

聖徳太子の死後、蘇我氏が天皇をしのぐほどの勢力をもちました。その様子を見た中大兄皇子(後の天智天皇)と中臣鎌足(後の藤原鎌足)は、645年に蘇我氏をたおし、中国(唐)から帰国した留学生や留学僧らとともに、天皇を中心とする国づくりを始めました(大化の改新)。 5

大化の改新によって、中国の政治の制度を手本にして、都から全国へ支配を広げていくしくみを整備し、現代に続く年号も初めて定められました。 10 豪族が支配していた土地や人々は、国のものになり、力の強かった豪族は貴族(位の高い役人)として政治に参加するようになりました。地方の豪族も役人となって、それぞれの地方を治めました。また、中国にならって藤原京という日本で最初 15 の本格的な都が飛鳥(奈良県)につくられました。

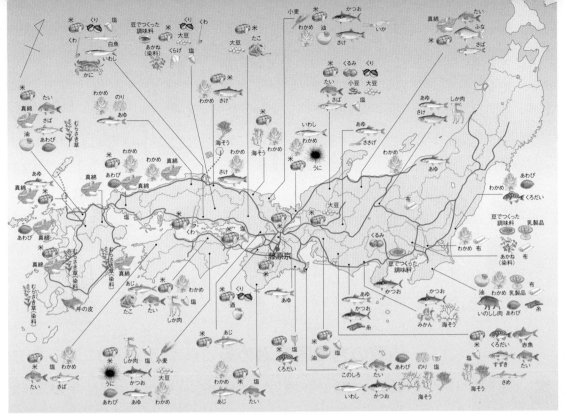

↑④ **都へ運ばれてきた各地の主な産物** 都から遠い地域にも支配が広がっていることがわかります。

↑⑤**木の荷札** 伊豆国（静岡県）三島から，調として「かつお」が納められたことが記されています。

8世紀の初めには，国を治めるための法律（**律令**）もできあがり，人々は，租・調・庸といった税を納めるとともに，役所や寺を建てたり，都や九州を守る兵士の役を務めたりしました。

5 　都には，日本各地から多くの産物が運ばれ，天皇を中心とする国づくりを支えました。それらを管理するために，今でいう手紙や書類の代わりに，木簡という木の札が使われました。当時の役所の跡から，多くの木簡が発見されています。

中国の政治は，日本にどのようなえいきょうをあたえたのかな。

> **ことば**
>
> **律令** 中国にならって新たにつくられた法律で，これによって天皇を中心とした全国を支配するしくみが整えられました。各地の人々は，さまざまな税や兵役などを負担しました。

租
稲の収穫高の約3％を納める。

調
織物や地方の特産物を納める。

庸
年間に10日都で働くかわりに，布を納める。

↑⑥**律令制による人々の負担**

→①平城京の様子（想像図）
朝廷の役所の正門であった朱雀門からは，はば70mの朱雀大路がまっすぐにのびていました。

↑②復元された平城京の朱雀門
▶35ページの ひろげる も参考にしましょう。

調べる

聖武天皇は，どのようにして世の中を治めようとしたのでしょうか。

↑③平城京で働く役人（想像図）　律令制のもとでは，多くの役所があり，現在と同じように書類によって事務が処理されていました。当時は，貴重な紙だけでなく，木簡も多く使われました。

仏教の力で国を治める　藤原京の後に，奈良に新しい都（平城京）がつくられました。平城京は，藤原京と同じように，東西南北にのびる道路で碁盤の目のように区切られていました。平城京には，天皇をはじめ，貴族や下級役人などがくらし，にぎわいを見せていました。　5

　しかし，都のにぎわいを支える地方の人々の生活はとても厳しいものでした。重い税の負担にたえかねて，豪族や大寺院のもとへにげ出す人もいました。　10

地方の人々のくらし

　わたしは，ほかの人と同じように耕作しているのに，ぼろぼろの着物を着て，かたむいた家の中に住んでいる。地面にじかにわらをしき，わたしのまくらべには父母が，足もとには妻子たちが，わたしを囲むようにすわりこんで，ただ，なげき悲しんでいる。かまどには火の気もなく，米をむす器には，くもの巣が張っている。
　生活を切りつめて生きているのに，里長は，むちを片手に戸口までやってきて，おどして税を取ろうとする。どうしようもない世の中だが，鳥でないから，にげることもできない。
（貴族の山上憶良が農民の気持ちをよんだ歌）

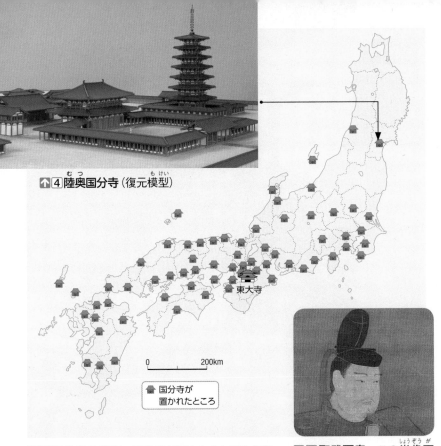

↑④陸奥国分寺（復元模型）

↑⑤国分寺の分布　国分寺が置かれたところを調べることで，当時の国の分布や範囲がわかります。

0　　　　200km

■ 国分寺が
　 置かれたところ

東大寺

↑⑥聖武天皇　この肖像画は，後の時代にえがかれました。

年	年令	主なできごと
701	1才	文武天皇の子として生まれる
710	10	都が平城京（奈良県）に移る
		このころ「古事記」ができ，各地で「風土記」がつくられはじめる
720	20	九州で反乱が起こる
		「日本書紀」ができる
724	24	天皇の位につく
737	37	このころ都で病気が流行する
740	40	貴族の反乱が起こる
		都を恭仁京（京都府）に移す
741	41	国分寺を建てる命令を出す
743	43	大仏をつくる詔を出す
744	44	都を難波宮（大阪府）に移す
		都を紫香楽宮（滋賀県）に移す
745	45	都を平城京（奈良県）にもどす
747	47	奈良で大仏づくりが始まる
749	49	天皇の位を退く
752	52	大仏開眼式
756	56	なくなる

↑⑦聖武天皇の年表

まなび方コーナー

年表を読み取る
聖武天皇に関する年表を読む
● 人物が行ったことを読み取る。
● 当時のできごとと歴史上の人物が行ったこととの関係を考える。
● 世の中がどのように変化していったのかを考える。

ことば

仏教　病気や自然災害など，人の力がおよばないようなできごとから国を守るために，朝廷を中心に広く信仰されました。世界の三大宗教の一つとされ，アジアを中心に多くの信者がいます。

国分寺の置かれたところから，当時の聖武天皇の力の大きさや広がりを考えよう。

　平城京に都が移ってしばらくたったころ，病気によって平城京の多くの人々がなくなり，全国各地で災害や反乱が起こるなど，社会全体に不安が広がっていました。

5　このころ位についた聖武天皇は，政治を安定させるために，平城京から次々と都を移しました。
　また，いっこうによくならない世の中をなげいた聖武天皇は，**仏教**の力で社会の不安をしずめて国を治めようと願い，741年にばく大な費用をか

10　けて国ごとに国分寺を建てることを命じました。

29

聖武天皇の詔

わたしは，人々とともに仏の世界に近づこうと思い，金銅の大仏をつくることを決心した。国中の銅を用いて大仏をつくり，大きな山をけずって仏堂を建て，仏の教えを広めよう。

天下の富をもつ者はわたしである。天下の力をもつ者もわたしである。この富と力をもってすれば，大仏をつくることは難しいことではないが，それでは，大仏に心をこめることは難しい。かえって，わざわいの元になってしまうのではないかと心配である。

もし1本の草や一にぎりの土をもって大仏づくりに協力したいと願う者がいたら，そのまま認めよう。役人は，大仏づくりのために，人々のくらしを乱したり，ものなどを無理に取り立てたりしてはならない。国中にわたしの考えを広め，大仏づくりを知らせよう。

大仏の大きさ（創建時）	
●座高…………………	15m80cm
●顔の長さ……………	4m73cm
●手のひらの大きさ…	3m13cm
●足の裏の長さ………	3m55cm

↑1 大仏づくりの様子（想像図）

調べる

聖武天皇の大仏づくりは，どのように進められたのでしょうか。

←2 行基

池	ᐱᐱᐱᐱᐱᐱᐱᐱᐱᐱᐱᐱᐱᐱᐱ
みぞ	ᐱᐱᐱᐱᐱᐱ 6　15か所
堀	ᐱᐱᐱᐱ 4
水とい	ᐱᐱᐱ 3
橋	ᐱᐱᐱᐱᐱᐱ 6
道	ᐱ 1
船の港	ᐱᐱ 2
宿泊所	ᐱᐱᐱᐱᐱᐱᐱᐱᐱ 9

↑3 行基が都の周辺で進めた土木工事

大仏をつくる　743年，聖武天皇は，大仏をつくる詔（天皇の命令）を出しました。それは，世界を仏の光で照らすことを願い，金銅の大仏を多くの人たちの協力を集めてつくるという命令で，大仏は，全国の国分寺の中心である東大寺に置かれました。**大仏づくり**を主に支えたのは，全国から集められた農民などの人々でした。 5

詔が出された後，僧の行基は，弟子たちとともに人々によびかけ，大仏づくりに協力しました。行基は，人々のために橋や道，池や水路などをつくりながら仏教を広めていたので，「菩薩」とよ 10

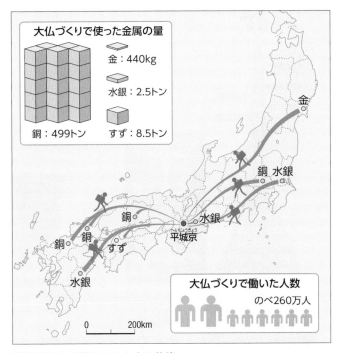

↑4 **開眼式（完成式典）の様子（想像図）** 大仏にひとみを入れる筆につながるひもを天皇のほか貴族や僧など1万人以上が持ち，国の平安をいのりました。

ことば

大仏づくり 大仏の開眼式（かいげんしき）には，中国やインドから招かれた位の高い僧もふくめて，1万人以上の人が参加しました。国をあげての一大事業にふさわしく，せい大に行われました。

ばれ，したわれていたのです。行基の協力は，人々の力を集めるうえで大きな力となりました。

　大仏づくりには，すぐれた技術をもつ渡来人（とらいじん）たちも活やくしました。のべ260万人以上の人々が何年も働き，大仏が完成したのは，752年のことでした。日本に仏教が伝わってから200年ほどの年月がたっていました。

5

大仏づくりには，どのような人々が協力したのかな。

大仏づくりで使った金属の量

金：440kg
水銀：2.5トン
銅：499トン
すず：8.5トン

金
銅　水銀
銅
水銀
平城京（へいじょうきょう）
銅
銅
すず
水銀

0　　200km

大仏づくりで働いた人数
のべ260万人

↑5 **全国から集められた人や物資**

ことば

大陸の文化　中国は，古くから西アジアやヨーロッパと交易などのつながりをもっていました。日本は，使者や留学生を中国に送ることで，大陸の文化を取り入れていきました。

大陸の文化を学ぶ

聖武天皇は，皇帝中心の政治のしくみや**大陸の文化**を学ばせ，新しい国づくりに役立てるために唐（中国）へ使者（遣唐使）を送りました。当時は，航海の技術が発達していなかったので，船が難破することもあり，航海は命がけでしたが，危険を乗りこえ，多くの大陸の文化や文物が日本へもたらされました。その一部は，東大寺にある正倉院の宝物からうかがうことが

←1 正倉院（奈良市）　校倉造とよばれる方法でつくられています。[国宝][世界遺産]

↓2 世界と日本をつなぐ交通路

→3 鏡（直径約27cm）　貝やこはく，トルコ石など，さまざまな地域でとれたもので飾られています。

正倉院の宝物

- 遣唐使の行路
- 主な陸上交通路
- 主な海上交通路

0　2000km

ローマ　コンスタンティノープル　サマルカンド　トルファン　敦煌　長安　揚州　博多　平城京　バグダッド

←↑4 びわ（左，長さ約1m）とその模様の一部分　5本のげんをつけたびわは，インドで生まれた楽器と考えられています。

↑5 ガラスのコップ（高さ約11cm）　ガラスは西アジアのものと伝えられています。

→6 水差し（高さ約41cm）　ペルシャ（今のイラン）風デザインの，うるしぬりの水差しです。

できます。宝物には，聖武天皇が愛用したものの
ほか，貴族たちが奉納した器や大仏開眼に使わ
れた筆などがあります。

一方，中国や朝鮮半島の国々からも，すぐれ
5　た学者や技術者が海をわたってやってきました。
東大寺の大仏をつくる技術は，朝鮮半島からの渡
来人の子孫が伝えたものでした。

聖武天皇は，日本に正式の仏教を広めるために，
中国から鑑真というすぐれた僧を招きました。
10　こうした大陸との交流によって，このころ日本
では，中国風の文化がさかんになりました。

文化

古の宝物を見よう〜正倉院展〜

正倉院の宝物は，ふだんは目にする
ことができません。奈良国立博物館で
は，毎年秋に約60点の宝物が展示さ
れます。

展示される宝物は，毎年ちがうもの
が選ばれ，国内外から多くの人たちが
おとずれます。

このころの文化は，
どこから伝わってきた
のかな。

鑑真の来日

↑⑦鑑真像 国宝

聖武天皇は，中国へ使者を派遣し，
鑑真に弟子の中から日本へわたって
くれる僧を推薦してほしいとたのみ
ました。日本への航海が危険なこと
を知っている弟子たちは，引き受け
ようとしませんでした。

それを知った鑑真は，自分が弟子
を連れて日本にわたる決心をしました
が，何回も失敗しました。それでも，鑑真は日本への渡航
をあきらめず，6回目についに成功しました。こうした苦
労がもとになって，両目の視力を失うことになったといわ
れています。鑑真は，仏教だけでなく，薬草の知識を広め
るなど，日本でも大いに活やくしました。

↑⑧唐招提寺（奈良市）　鑑真が創建した，僧た
ちが学ぶための寺院です。講堂（国宝）は平城京の
建物を移築したもので，当時の木材が現在も残っ
ています。国宝 世界遺産

→⑨復元された遣唐使船（広島県呉市）　遣唐使が
乗った船は，長さが約30m，幅は約8mありました。通
常4せきで，約500人〜600人が唐にわたりました。
鑑真は，帰国する遣唐使一行とともに，来日しました。

まとめる

学習問題について調べてきたことを表に整理し，最後に人物のせりふを書きましょう。

学習問題を確認しよう。

学習問題

聖徳太子がめざした天皇中心の国づくりは，だれが，どのように受けついでいったのでしょうか。

まとめの活動に**ことば**を生かそう。

ことば
- 天皇
- 律令（りつりょう）
- 仏教
- 大仏づくり
- 大陸の文化

① 調べてきたことをもとに，この時代に活やくした人物が，新しい国づくりのためにどのようなことを行ったか，表に整理しよう。

活やくした人物	新しい国づくりのために行ったこと
中大兄皇子（なかのおおえのおうじ） 中臣鎌足（なかとみのかまたり） 中国（唐（とう））から帰国した留学生や留学僧（そう）	・大化の改新で蘇我氏をたおす ・全国の土地や人々を国のものにし，天皇（てんのう）が治めるようにする ・有力な豪族（ごうぞく）は貴族（きぞく）として政治に参加する ・水時計をつくり，天皇が時間を管理する ・天皇を中心とする政治のしくみ（都から全国へ支配を広げていくしくみ）をつくる
聖武天皇（しょうむ）	・国分寺（こくぶんじ）を全国につくり，仏教の力で国を治めようとした ・遣唐使（けんとうし）を中国に送り，政治のしくみや大陸の文化を学ばせた ・全国から多くの人と物資を集め，東大寺に大仏をつくった
行基（ぎょうき）	・人々によびかけ，大仏づくりに協力した
鑑真（がんじん）	・正式の仏教や薬草の知識を広めた

② 整理したことをもとに，中大兄皇子，聖武天皇，大仏づくりに参加した農民になったつもりで，天皇中心の世の中について説明しよう。

わたしは，蘇我氏をたおし，天皇を中心とする政治のしくみをつくりました。これによって，日本の力を高めることができました。

中大兄皇子　　聖武天皇　　農民

それぞれの立場の人々の，天皇中心の国づくりへの思いを比べてみよう。

ひろげる

平城宮跡を保存するために
棚田嘉十郎　〜奈良県奈良市〜

　奈良時代のあと，平城宮のあった場所は田畑やあれ地となってしまいました。

　ひろとさんは，平城宮の跡を探し，保存のために力をつくした棚田嘉十郎という奈良市の人物について調べました。

 棚田嘉十郎について調べました。

　明治時代の中ごろ，奈良公園で植木の手入れをしていた棚田嘉十郎は，平城宮の跡地が，中心の場所さえわからないほどあれ果てている様子を見てたいへん残念に思いました。そこで嘉十郎は，都の中心である平城宮の跡を探して保存する運動を始めました。江戸時代につくられた地図を複製して配ったり，道案内を整備したりして，人々に平城宮跡の保存をうったえました。また，自分の財産を提供したり，溝辺文四郎など地元の人々の協力を得たりして，平城宮跡の土地を買い，国に寄付しました。

　こうした努力によって，国や県も保存に力を入れ始め，1922年には法律で平城宮跡の中心部分を保存することが決まりましたが，二人はすでになくなっていました。

やってみよう

　あなたの住んでいる地域には，どのような遺跡や文化財が残されていますか。保存につくした人物についても調べてみましょう。

↑① 平城宮朱雀門の前に立つ棚田嘉十郎の像（奈良市）
右手は平城宮の中心であった大極殿の方を指しています。大極殿は，2010（平成22）年，第一次大極殿跡に復原されました。

歴史的遺産を守り，受けついでいく
〜奈良市の取り組み〜

→② 「世界遺産学習」に取り組む　奈良市では，小学生から「世界遺産学習」に取り組んでおり，地域の文化財を守り受けつぐ大切さを学んでいます。

↓③ 平城京天平祭の様子　2010年には，平城宮跡で平城遷都1300年祭が行われました。以後，毎年平城京天平祭が行われています。

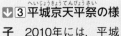

寝殿（しんでん）

1 都の貴族のやしきの様子（想像図） 寝殿は，やしきの主人が生活し，お客をもてなす場でもありました。

世紀	時代
	縄文
	弥生
3	
4	古墳
5	
6	
7	飛鳥
8	奈良
9	
10	平安
11	
12	
13	鎌倉
14	
15	室町
16	安土桃山
17	
18	江戸
19	
20	明治 大正 昭和
21	平成 令和

3 貴族のくらし

貴族と藤原道長 都が平城京から平安京（京都府）に移された平安時代になると，朝廷の政治を一部の有力な**貴族**が動かすようになりました。

　その中でも中臣鎌足の子孫である藤原氏は，む
5　すめを天皇のきさきにして天皇とのつながりを強くして大きな力をもちました。藤原氏は，藤原道長のころに最も大きな力をもちました。道長は，世の中のすべてが自分の思い通りになっているという意味の「もち月の歌」をよんだほどでした。
10　貴族は，寝殿造のやしきでくらし，和歌や蹴鞠などを楽しみました。

　「立派なやしきだね。広い庭や池まであって，貴族の力の大きさを感じるね。」

　「貴族は，どのようなくらしをしていたのかな。何を楽しんでいたのだろう。」
15

つかむ

藤原道長ら，貴族がどのようなくらしをしていたのか話し合い，学習問題をつくりましょう。

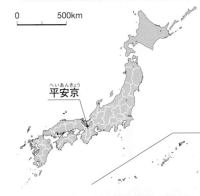

平安京

この世をば
わが世とぞ思ふもち月の
かけたることも
なしと思へば

↑←②藤原道長と道長がよんだ歌

→③再現された当時の食事

貴族の食事

庶民の食事

学習問題

　貴族が栄えていたころ，どのような文化が生まれたのでしょうか。

ことば

貴族 一族が，代々朝廷で高い位につき，政治を行いました。年中行事などの儀式をとり行うことが多かったため，教養や作法などを身につけ，この時代の文化をつくっていきました。

←**①大和絵**（源氏物語絵巻）
源氏物語の一場面です。十二単を着ている女性が見られ，きらびやかな貴族のくらしが読み取れます。国宝

←**②束帯** 男性の正装で，朝廷での公式の行事の際などに着用されました。

↑**③十二単** 宮殿の中の女性の正装で，何枚もの着物を重ね着します。全体の重さは，約16キログラムにもなったと考えられています。

調べる

> 藤原氏が栄えていたころ，どのような文化が生まれたのでしょうか。

↑**④蹴鞠** 数名が革のくつをはいて，鹿の革でできた鞠を落とすことなく足の甲でけり上げ，けった回数を競いました。

独自の文化の発展

中国との交流により，日本では大陸風の文化がさかんでしたが，894年に遣唐使が停止されました。しかし，その後も中国から貿易船が九州にしばしばやってくるなど交流は続き，中国文化のえいきょうを受けながら，貴族のはなやかな生活を通して，これまでとはちがう独自の文化が発展しました。

貴族のくらしの中から生まれた文化

貴族のゆうがなくらしの中で，束帯とよばれる男性の服装や十二単とよばれる女性の服装が生み出されました。また，貴族は，琴，琵琶，笛などをたしなみ，囲碁や双六で遊び，男性は蹴鞠や乗馬もしました。5

そして，漢字からできたかな文字を使うことで自分の気持ちなどが細かく表現できるようになり，朝廷に仕える女性たちは，多くの文学作品をつくりました。天皇のきさきだった藤原道長のむすめに教育係として仕えた紫式部が書いた「源氏 10
物語」は，現在も世界の国々で読まれています。

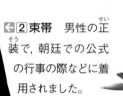

「束帯・十二単」

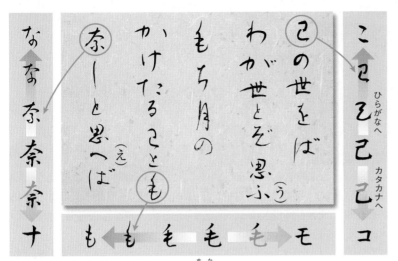

↑7 **小倉百人一首** 紫式部や清少納言をはじめ，女性歌人の歌が何首も取り上げられています。

⑤ かな文字 かな（仮名）は，漢字（真名）に対する名前です。ひらがなは，漢字をくずしてつくられ，カタカナは，漢字の一部を省略してつくられました。

↑8 **紫式部**　　　↑9 **清少納言**

← ⑥ かな文字で書かれた寸松庵色紙（伝・紀貫之筆，重要文化財）「土佐日記」をあらわした紀貫之は，書でも名作を残しました。

→ ⑩ 外国で読まれている「源氏物語」
源氏物語は，多くの言語に訳されています。

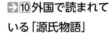

　　天皇の別のきさきに仕えた清少納言は，「枕草子」というすぐれた随筆を書きました。後の鎌倉時代に成立した小倉百人一首には，平安時代の女性の歌がたくさんあります。

5　　ほかにも，貴族の生活ぶりをえがいた大和絵や，かな文字を用いた和歌や書において数々の名作がつくられるなど，朝廷を中心として，美しく，はなやかな**日本風の文化**（国風文化）が貴族のくらしの中から生まれました。

> **随筆**
> 　見聞きしたことや心にうかんだことなどを，形式にとらわれずに自由に書いた文章のこと。

> **ことば**
> **日本風の文化** この時代に，これまで取りこんできた大陸の文化をもとに，新たに日本の風土にあった文化が生まれました。その中には，現在まで受けつがれているものが多く見られます。

貴族が栄えていたころの年中行事で, 今に伝えられているものには, どのようなものがあるでしょうか。

↑② 「年中行事絵巻」 平安時代の終わりにえがかれた絵巻物で, その原本は失われましたが, 江戸時代につくられた模写が残っています。上は賀茂祭の様子です。

↑③ 曲水の宴 参加者が庭園の水の流れにそって座り, 上流から流される盃が自分の前を過ぎるまでに詩歌をつくって, 盃を取り上げて酒を飲み, 次の人へ流します。

ことば

年中行事 1年を通じて, 季節の変化とともに決まった時期に行われる儀式や行事のことです。年中行事をきちんとまちがいなく行うことは, 貴族にとってたいへん重要なことでした。

↑① 賀茂祭 (葵祭) 京都の上賀茂神社, 下鴨神社の祭りで, 現在では, 毎年5月15日に行われます。今から約1200年前から始まったとされ, 現在も, 平安貴族などのいでたちの人々が行列をつくって市内を歩きます。

今に伝わる年中行事 貴族のくらしは, **年中行事**が中心でした。今でも, 毎年いろいろな行事が決まった日に行われますが, その中には, 貴族が栄えた平安時代にさかんに行われたものがあります。お正月の行事や端午の節句, 七夕などの行事が現在まで続いています。

また, 京都の賀茂祭 (葵祭) やさまざまな神社で行われる曲水の宴なども, 平安時代の年中行事が今に伝えられたものです。

春	1月	正月を祝う, さまざまな行事が行われる
		七草粥を食べる
	3月	曲水の宴が行われる (桃の節句)
夏	4月	賀茂祭 (葵祭) が行われる
	5月	菖蒲をかざり, 柏もちを食べる (端午の節句)
	6月	罪やけがれをはらい清める儀式が行われる (大はらい)
秋	7月	七夕まつりが行われる
		なくなった祖先の霊をなぐさめ, 仏を供養する行事が行われる
	8月	お月見の会が行われる
	9月	菊の花をうかべた酒を飲む (菊の節句)
冬	11月	その年の収穫を感謝する儀式が行われる
	12月	罪やけがれをはらい清める儀式が行われる (大はらい)

↑④ 平安時代の主な年中行事

まとめる

学習問題について調べてきたことについて話し合い，平安時代の文化の特色を表すキャッチコピーを書きましょう。

学習問題を確認しよう。

学習問題
貴族が栄えていたころ，どのような文化が生まれたのでしょうか。

まとめの活動に**ことば**を生かそう。

ことば
● 貴族　● 日本風の文化
● 年中行事

---

① 平安時代には，どのような文化が生まれたのかを話し合おう。

貴族のくらしの中から，はなやかな文化が生まれました。

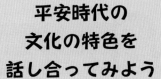
平安時代の文化の特色を話し合ってみよう

「源氏物語」や「枕草子」など，このころの文学は，今では日本だけでなく，世界の人たちにも親しまれています。

中国文化のえいきょうを受けながら，日本独自の文化が生まれました。

このころの貴族たちが行っていた年中行事は，現在まで受けつがれているものもあります。

---

②平安時代の文化の特色をキャッチコピーに表して，発表しよう。

● 世界の人たちにも
　親しまれている
　平安時代の文学作品

理由：「源氏物語」は，世界のさまざまな国の言葉にほん訳され，多くの人たちに読まれているから。

● 今につながる
　日本風の文化

理由：わたしたちが使っているかな文字や，着物のもととなった十二単が平安時代に生まれたり，現在行われている年中行事が，平安時代の貴族のくらしの中から生まれたりしているから。

世界遺産（いさん）を調べよう〜平泉（ひらいずみ）〜

ゆうなさんたちは，平安（へいあん）時代に栄えた平泉（岩手（いわて）県）について調べ，発表することにしました。

平泉（ひらいずみ）

↑1中尊寺金色堂（こんじきどう）　中尊寺をはじめ，毛越寺，観自在王院跡（かんじざいおういんあと），無量光院跡，金鶏山（きんけいさん）の五つが世界遺産に登録されています。国宝 世界遺産

↑2中尊寺金色堂内陣（ないじん）　厚い金ぱくをはり，白くかがやく夜光貝で細工（螺鈿（らでん））されています。くじゃくとぼたんがデザインされた須弥壇（しゅみだん）の中には，藤原清衡，基衡，秀衡の遺体（いたい）と泰衡（やすひら）の頭部（おさ）が納められています。国宝 世界遺産

↑3毛越寺の庭園　池を海に見立てて，雄大（ゆうだい）な自然の風景を表しています。つくった当時の姿（すがた）を復元し，平安時代の庭づくりの文化を伝えています。世界遺産

争いのない平和な浄土（じょうど）をめざして

　平安時代に東北（とうほく）地方で二つの合戦が起こり，源氏（げんじ）の助けをかりて，藤原清衡（ふじわらのきよひら）が勝利しました。戦乱（せんらん）で父や妻子をなくした清衡は，拠点（きょてん）を平泉に移して，争いのない平和な浄土（阿弥陀仏（あみだぶつ）などがいるとされる苦しみのない世界）をつくるために，中尊寺（ちゅうそんじ）を建てました。

　敵味方の区別なく，合戦でなくなったすべての人々，さらには，命あるものすべての霊魂（れいこん）が，浄土に行けるような，仏の教えによる平和な理想社会をつくりたいという願いが平泉の原点です。

　清衡の思いを受けついだ基衡（もとひら）は，仏教を中心とした平泉のまちづくりを発展（はってん）させ，豊富に産出される金や他の地域（ちいき）との交易で得た財力を生かして，毛越寺（もうつうじ）を建てました。2度以上の火災によって，当時の建物は残っていませんが，池を中心とした庭園は，浄土を表しています。

　3代目の秀衡（ひでひら）は，毛越寺を完成させ，さらに，平等院鳳凰堂（びょうどういんほうおうどう）をモデルに，それよりひとまわり大きい無量光院（むりょうこういん）を建てるなど，秀衡の時代に平泉は最盛期（さいせいき）をむかえました。

↑④空から見た柳之御所遺跡　北上川に面した台地の上に位置し，約10ヘクタールの広さがあります。

↑⑤柳之御所の建物を復元したコンピュータ・グラフィックス（ＣＧ）　これまでの発掘調査や研究成果をもとにつくられました。

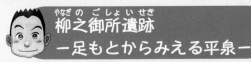

柳之御所遺跡
ー足もとからみえる平泉ー

　北上川の堤防とバイパス道路をつくろうとして発掘調査されたのが柳之御所遺跡です。調査が進むにつれて，藤原氏が政治を行った重要な場所だとわかり，多くの人々が保存のために活動しました。その結果，柳之御所史跡公園として残され，調査や整備が続けられていくことになりました。

　大きな堀に囲まれた中には，建物や堀，池，井戸などの跡が残っています。また，京都や中国との交流を示す土器や陶磁器などが見つかっています。特に，磁器は中国南部から東シナ海をわたり，博多や京都を経由して，太平洋岸から北上川を通って平泉にもたらされました。平泉は，京都や博多と並ぶ文化的な都市でした。

　そのほかにも，日常的に使われたさまざまな道具（へらやなべなどの調理具，はしやおわんなどの飲食具，筆やすずりなどの文具，将棋の駒や碁石などの遊具）が発見されています。

↑⑥かわらけ　かわらけは，お酒を注ぐ盃や食器など，使い捨ての素焼きの土器で，主に宴会で使用されました。柳之御所遺跡では，十数トンも出土し，そのころの政治では宴会や儀式が欠くことのできないものであったことがわかります。

➡⑦カエルの板絵　人間のように立って扇を持っている姿は，国宝「鳥獣戯画」のカエルを思わせます。

←⑧中国産の白磁　井戸から割れた状態で出土したものをつないで復元しました。

↓①武士のやかたの様子（想像図）　まわりは，堀と垣根で囲まれ，門の上には物見やぐらがありました。

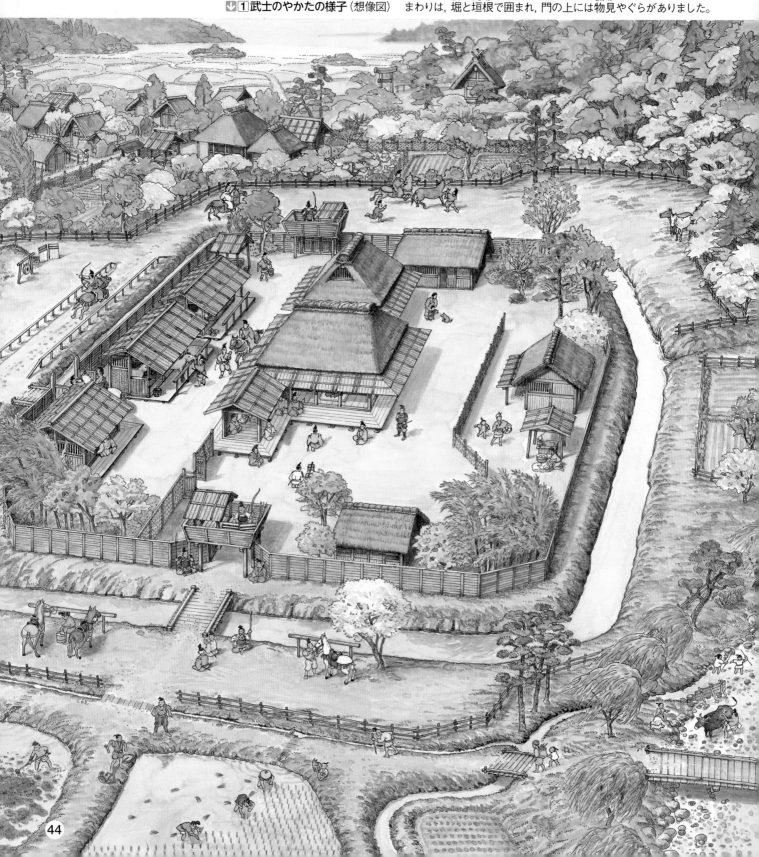

縄文

弥生

3

4

古墳

5

6

飛鳥 7

奈良 8

9

10 平安

11

12

鎌倉 13

14

室町 15

16 安土桃山

17

江戸 18

19

明治 20 大正 昭和 平成

令和 21

↑②武器の手入れ　武士にとって，武器の手入れは欠かせないものでした。

つかむ

武士とは，どのような人々で，どのような願いをもっていたのかについて話し合い，学習問題をつくりましょう。

武士の登場と武士のくらし　貴族が都ではなやかな生活をしていたころ，地方の有力な農民は，新たに田畑を開いて自分の領地としました。また，都から地方に派遣された役人の中には，その立場

5 を利用して富をたくわえる者もいました。これらの豪族は，領地を守るために武芸にはげみ，**武士**となりました。

「武士は，自分の領地が見わたせる場所にやかたを建てて住んでいました。一族や家

10 来たちも近くに住んでいたそうです。」

「領地を守るため，武器の手入れや武芸の訓練，馬の世話などをして，常に戦いに備えていたんだね。」

「武士が現れたことで，世の中は，どのよ

15 うに変わっていったのかな。」

源氏と武士の結びつき

　朝廷の命令で地方の争いを平定することは，武士の大切な役割の一つでした。11世紀後半に東北で起きた争いでは，源 義家が大きな働きをしましたが，豪族の内部争いに義家が勝手にかかわったものとされ，朝廷から恩賞は出ませんでした。そこで，義家は，自分の財産をともに戦った武士たちに分けあたえました。そのことが，武士のかしらとしての義家の信用を高め，源氏をしたう勢力が東国（東日本）に広がるきっかけになりました。

武士は，どのように生まれたのかな。

学習問題

　武士の登場によって，世の中はどのように変わり，武士は，どのような政治を行っていったのでしょうか。

ことば

武士　武芸を職業として朝廷や貴族に仕え，合戦や警備などにあたった人々です。やがて，地方の反乱や都の権力争いの中で勢力をのばし，この後700年ほど続く武士の世の中を築き始めました。

↑①武士の戦い（平治の乱）　平氏は，この戦いで源氏を破り，勢力を強めました。

←②貴族を守る武士　京都の平清盛の家の前の様子です。門前には，貴族を乗せる牛車と，貴族を守る武士たちがならんでいます。
国宝

調べる

武士は，どのようにして勢力をのばしていったのでしょうか。

ことば

武士団　地方の武士たちは，一族のかしらを中心とした小さな武士団をつくっていました。やがて，小さな武士団が集まって大きな武士団になり，主人として貴族がむかえられ，多くの家来を従えて，大きな力をもつようになりました。

武士の政治の始まり

武士の中には武芸を認められて朝廷や貴族に仕え，大きな力をつけていく者も現れました。また，武士は一族のかしらを中心に**武士団**をつくりました。そうした武士団の中でも勢いが強かったのが，源氏と平氏でした。

源氏と平氏は，朝廷の命令で地方の反乱をしずめるなどして，源氏は東国（東日本）に，平氏は西国（西日本）に特に勢力をのばしていきました。やがて源氏と平氏は，朝廷や貴族の政治の実権をめぐる争いに巻きこまれ，たがいに入り乱れて戦

5

10

年	年令	主なできごと
1118	1才	生まれる
1156	39	後白河天皇側の武士として戦う（保元の乱）
1159	42	源頼朝の父を破る（平治の乱）
1167	50	太政大臣になる
1168	51	出家する
1172	55	むすめを天皇のきさきにする
		このころ平氏一族が朝廷の役職の多くをしめる
1179	62	このころ中国との貿易を進める
1180	63	孫が天皇になる（安徳天皇）
1181	64	死去

↑③平清盛の年表

←④平清盛　武士として初めて太政大臣の地位につき，中国（宋）との貿易を進めるなど，政治の面においても力を発揮しました。

←↑⑤平家納経　平氏一族のはん栄を願って，平清盛が厳島神社に納めたものです。この当時は「平氏にあらずんば，人にあらず」という言葉があったほど，平氏は栄華をきわめました。国宝

いました（保元の乱，平治の乱）。

　その結果，平清盛を中心とした平氏が，源氏をおさえ，貴族の藤原氏にかわって政治を行うようになりました。清盛は，むすめを天皇のきさき

5 とし，生まれた子を天皇に立てました。こうして，平氏一族が朝廷の中でも重い役につき，強い力をもつようになりました。

　平氏は，政治を思うままに動かすようになり，これに反対する人々を厳しく処ばつするなどした

10 ため，しだいに貴族やほかの武士たちの間で不満が高まっていきました。

平氏は，どのように勢力をのばしていったのかな。

↑⑥厳島神社（広島県廿日市市）　平清盛は厳島神社を平氏の守り神としてまつり，海上交通の安全をいのりました。国宝 世界遺産

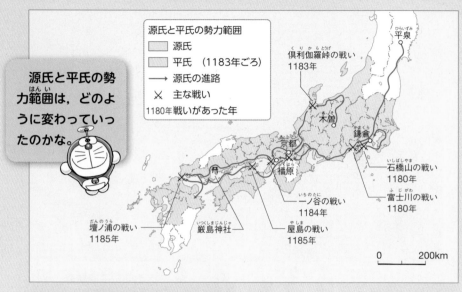

源氏と平氏の勢力範囲は，どのように変わっていったのかな。

源氏と平氏の勢力範囲
- 源氏
- 平氏　（1183年ごろ）
- → 源氏の進路
- × 主な戦い
- 1180年　戦いがあった年

平泉

倶利伽羅峠の戦い
1183年

木曽

鎌倉

京都

福原

石橋山の戦い

一ノ谷の戦い
1184年

富士川の戦い
1180年

壇ノ浦の戦い
1185年

厳島神社

屋島の戦い
1185年

0　　　200km

↑1 源氏の軍の進路

年	年令	主なできごと
1147	1才	生まれる
1159	13	平氏との戦いに敗れる（平治の乱）
1160	14	伊豆へ流される
1180	34	平氏をたおすために兵をあげる
1185	39	壇ノ浦で平氏をほろぼす　国ごとに守護・地頭を置く
1188	42	義経をうつことを命じる
1192	46	征夷大将軍になる
1199	53	死去

↑2 源頼朝の年表

調べる

源平の戦いで，源氏は平氏をどのように破ったのでしょうか。

↓3 源頼朝　源氏のかしらとして，東国の武士たちをたばねました。源平合戦では，鎌倉にいて，戦況を見守りました。

ことば

征夷大将軍　鎌倉幕府を開いた頼朝が任命された後は，武士をまとめていく最高の地位として引きつがれていきました。この後の武士の世の中では，将軍とは征夷大将軍のことを指すようになりました。

源氏と平氏が戦う　平氏との戦いに敗れ（平治の乱），伊豆（静岡県）に流されていた源頼朝は，34才のとき，伊豆の豪族の北条氏や東国の武士たちとともに，平氏をたおそうと兵をあげました。頼朝が兵をあげると，自分たちの領地を認めてくれる新しいかしらを求めていた武士たちが，次々に集まりました。 5

　頼朝の弟の源義経たちに率いられた源氏の軍は，戦いに次々と勝って，平氏を西国に追いつめ，ついに壇ノ浦（山口県）でほろぼしました。 10

　平氏をたおした頼朝は，朝廷にせまって，家来となった武士（御家人）を地方の守護や地頭につけ，大きな力をもつようになりました。そして，1192年，武士のかしらとして朝廷から**征夷大将軍**（将軍）に任じられました。頼朝が鎌倉（神奈川県）に開いた政府を，鎌倉幕府といいます。 15

↑④源義経

騎馬戦の天才　源義経

　東国の武士は，馬に乗った戦いが得意でした。平泉（岩手県）で少年時代を過ごし，馬を使った戦い方をよく知っていた義経は，東国武士の騎馬団をうまく使い，平氏との戦いを進めたといわれています。

←⑤一ノ谷（兵庫県）の戦い（1184年）　平氏軍は急ながけの下に陣をしき，守りを固めましたが，義経は，陣地のがけを鹿が通ることを聞いて，がけの上から奇襲攻撃を行いました。おどろいた平氏軍は船で海へにげ出しました。

> 　源氏は白い旗，平氏は赤い旗をかかげて戦っています。ちがう色が使われたのは，敵と味方を見分けるためだったと考えられています。

まなび方コーナー

伝記を使って調べる

源義経について調べる

【図書館などで義経の伝記を探す】
・わからない場合は，図書館の司書の人にたずねる。
【調べたいことについて伝記から読み取る】
・どんな人物だったかを表すエピソード。
・どのような業績を残したのか。
・義経が活やくした時代の様子。
・義経がどのような思いをもっていたか。

↑⑥屋島の戦い（1185年）　屋島（香川県）へにげこんだ平氏軍に対して，義経は暴風雨に乗じて，通常よりも短い時間で一気に四国にわたったといわれています。この戦いにも敗れた平氏はさらに西へとにげました。

> 白地図を用いて，戦いがあった場所を順番に確認してみよう。

↑⑦壇ノ浦の戦い（1185年）　戦いの当初は，潮の流れに乗った平氏軍が優勢でしたが，潮の流れが変わると形勢も逆転し，源氏軍が優勢になりました。追いつめられた平氏の武士たちは，次々に海に身を投げ，平氏はほろびました。

↑ ① 今も残る切通しの跡（朝比奈の切通し）

→ ② 鎌倉と幕府の位置（復元模型）まわりを山で囲まれています。

建長寺
巨福呂坂の切通し
亀ヶ谷坂の切通し
幕府
鶴岡八幡宮
化粧坂の切通し
若宮大路
朝比奈の切通し
大仏坂の切通し
名越坂の切通し
由比ヶ浜
極楽寺坂の切通し

調べる

頼朝は，どのようにして武士たちを従えていったのでしょうか。

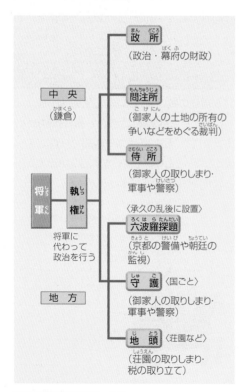

中央（鎌倉）

政所（政治・幕府の財政）

問注所（御家人の土地の所有の争いなどをめぐる裁判）

侍所（御家人の取りしまり・軍事や警察）

将軍 — 執権
将軍に代わって政治を行う

〈承久の乱後に設置〉
六波羅探題（京都の警備や朝廷の監視）

守護〈国ごと〉（御家人の取りしまり・軍事や警察）

地方

地頭〈荘園など〉（荘園の取りしまり・税の取り立て）

↑ ③ 鎌倉幕府のしくみ

頼朝が東国を治める

あおいさんたちは，頼朝がどのようにして武士を従えていったかについて，図書館の本などを使って調べました。

「頼朝は，家来になった武士（御家人）に先祖からの領地の所有を認めました。」 5

「また，手がらを立てた武士には，新しい領地をあたえました。」

このような頼朝の「ご恩」に対して，武士たちは「奉公」をちかい，戦いが起これば，「いざ鎌倉」とかけつけて，幕府のために戦いました。また，戦いのないときには，鎌倉や京都を守る役 10 を務めました。頼朝と武士たちのこのような関係を，**ご恩と奉公**の関係とよびます。

↑④「鎌倉街道」と書かれた標識（埼玉県北本市）

▶「鎌倉街道」については，55ページのひろげるも参考にしましょう。

↑⑤鎌倉への道と有力御家人の領地　関東の各地に残っている鎌倉街道は，武士たちが，鎌倉と自分たちの領地を行き来した道のなごりです。鎌倉は，山を切り開いてつくられた切通しというせまい道で鎌倉街道と結ばれていました。

源氏の将軍は3代で絶え，その後，幕府の政治は，将軍を助ける執権の職についていた北条氏に引きつがれました。

一方，東国に幕府が開かれてからも西国を中心に勢力を保っていた朝廷は，北条氏が政治を行うようになると，幕府をたおす命令を全国に出しました。

しかし，幕府のもとに集まった武士たちは，たちまち朝廷の軍を打ち破りました（承久の乱）。

この結果，幕府の力は西国にまでおよぶようになりました。この後，武士の裁判の基準となる法律（御成敗式目）がつくられ，北条氏を中心とした幕府の支配力はいっそう強くなっていきました。

源頼朝は，なぜ鎌倉に幕府を開いたのかな。

ことば

ご恩と奉公　幕府は，武士の大切な領地を保護し，ときには新しくあたえました。武士は，幕府のために領地に見合ったさまざまな働きをしました。幕府と武士の関係は，領地を中心に成り立っていたのです。

幕府（将軍）

戦い役目

奉公　ご恩

領地

武士（御家人）

頼朝のご恩と政子のうったえ
─ 承久の乱 ─

↑⑥北条政子

朝廷から，幕府をたおせという命令が鎌倉武士たちに伝えられました。頼朝の妻・政子は，おどろいて集まってきた武士たちに，頼朝のご恩を説きました。

「頼朝どのが平氏をほろぼして幕府を開いてから，そのご恩は，山よりも高く，海よりも深いほどです。ご恩に感じて名誉を大切にする武士ならば，よからぬ者をうちとり，幕府を守ってくれるにちがいありません。」

このように頼朝のご恩を説いて，武士の団結をうったえました。武士たちは，奉公をちかい，京都にせめ上りました。

↑1 元との戦い　元の兵士と戦う竹崎季長。

　鎌倉幕府は、どのようにして元軍と戦い、その後は、どうなっていったのでしょうか。

←2 北条時宗

元の大軍がせめてくる

鎌倉幕府が開かれてから80年余りたったとき、元の大軍が2度にわたり九州北部にせめてきました（元寇）。

　このころ、モンゴルは、アジアからヨーロッパにまたがる多くの国を支配し、大帝国を築きました。元という国をつくって中国を支配し、朝鮮を従えると、日本も従えようと使者を何回も送ってきました。執権の北条時宗はこの要求を退け、主に九州の武士を集めて、元との戦いに備えました。

武士もびっくり　元が使った「てつはう」

　モンゴルの船や兵器などには、当時の世界最先端の技術が用いられていました。上の絵の中央で爆発している「てつはう」とよばれた火薬兵器は、当時の日本にはないもので、武士たちは、大いにおどろきました。近年の研究の成果で、中に鉄片などがつめられていたことなどがわかってきました。

↑3 実物の「てつはう」
長い間海中にしずんでいたものが見つかり、近年引きあげられました。

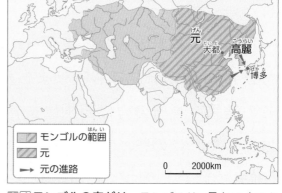

↑4 モンゴルの広がり　モンゴルは、元といくつかの国に分かれました。

←⑤元軍の進路

武士たちは，戦いのときに
どのようなくふうを
したのかな。

←⑥防塁跡（復元，福岡市）
博多湾には，元寇のとき守りを固めるために，写真のような防塁が築かれました。

↑⑦海上の戦い　元の大船に対して，小船に乗って立ち向かう武士の様子です。

↑⑧守りに向かう武士たち　馬上の人物（中央）は竹崎季長で，防塁には武士が多く見られます。

↑⑨恩賞を求める竹崎季長（右）　恩賞をもらえなかった九州（熊本県）の御家人である竹崎季長は，鎌倉まで行き，幕府に直接うったえました。

　武士たちは，元軍の集団戦術や火薬兵器（てっぽう）などに苦しみながら，恩賞を得るために必死に戦いました（**一所懸命**）。元軍は，武士たちの激しい抵抗や暴風雨などにより，大きな損害を
5 受けて大陸に引きあげました。

　鎌倉幕府が，それまで御家人になっていなかった武士たちにも元と戦うように求めたことによって，幕府の力は全国におよぶようになりました。しかし，幕府は，活やくした武士たちに新しい領
10 地をあたえることができませんでした。また，武士たちの中には，役目を果たすための負担に苦しみ，生活に困る者もいて，幕府に不満をもつようになりました。

　これらのことから，ご恩と奉公で結びついてい
15 た幕府と武士の関係がくずれていきました。

> ことば
>
> **一所懸命**　領地は，武士にとって一族の生活がかかった大切なものでした。武士は，命をかけて領地を守りました。また，戦いの場で手がらを立てると恩賞を得ることができたので，元軍との戦いでも，武士は命がけで働きました。

まとめる

学習問題について
調べてきたことを整理し，
自分の考えを
4コマまんがで
表しましょう。

学習問題を確認しよう。

学習問題 ……………
武士の登場によって，
世の中はどのように変わり，
武士は，どのような政治を
行っていったのでしょうか。

まとめの活動に**ことば**を生かそう。

ことば
- 武士　● 武士団
- 征夷大将軍　● ご恩と奉公
- 一所懸命

①調べたことについて，次の視点で整理してみよう。

(1) 天皇や貴族のくらしと武士のくらしのちがいはどのようなことか。
(2) 平氏の政治と源氏の政治のちがいはどのようなことか。

②せりふを考えて，4コマまんがを完成させよう。

武士が最も大切にしていた
ものは何だったかを思い出し，
せりふを考えよう。

元寇の竹崎季長

❶ 戦いで活やくし，引きあげてきた季長

❷ 期待していた恩賞がまだない

❸ 鎌倉まで行き，自分の働きをうったえた

❹ そのかいあって，ようやく恩賞をもらえた

恩賞をまだもらえていない武士のせりふも考えよう。

ひろげる

各地に残る鎌倉時代のエピソード

りくさんたちは，各地に残る鎌倉時代のエピソードを調べて，それぞれ発表しました。

平氏の落人伝説について調べました。

源平合戦では，敗れた平氏が四国や九州の山間などににげて，住み着いたという落人伝説があります。屋島の戦いに敗れた平国盛が住んだといわれる徳島県の祖谷には，「かずら橋」という草のつるでつくった橋があります。源氏軍が来たら，橋をすぐに切り落として，自分たちがうまくにげられるようにしたそうです。

↑①現在のかずら橋（徳島県三好市）

鎌倉街道について調べました。

学校の近くの道路に「鎌倉街道」と書かれた標識がありました。調べてみると，わたしたちが住んでいる町田市に，鎌倉時代の武士が自分の領地と鎌倉を行き来した古い道が通っていることがわかりました。地域の方にうかがうと，「それは鎌倉街道の一つの『上道（かみつみち）』で，鎌倉と秩父や高崎などを結んでいて，七国山に上っていく道なんだよ。」と教えてくださいました。日曜日にそこを歩いてみると，細い道のかたわらに井戸の跡があって，「かまくら井戸」と書かれた看板と「鎌倉街道」の石碑がありました。鎌倉に向かう武士たちが，ここで一休みしたのだろうと思いました。

↑②「鎌倉街道」と書かれた標識（東京都町田市）

↑③鎌倉街道の石碑と「かまくら井戸」

↑①銀閣（京都市）国宝 世界遺産

←②足利義政　義政が将軍の時代には，洗練された深みのある文化が栄えました。

5 今に伝わる室町文化

室町文化を作った人：足利尊氏
たかうじ

つかむ

銀閣の様子を見たり，金閣と比べたりしながら話し合い，学習問題をつくりましょう。

→③足利義満　義満が将軍の時代には，はなやかな文化が栄えました。

↓④金閣（京都市）世界遺産

足利義政が建てた銀閣　14世紀中ごろに鎌倉幕府がたおれると，足利氏が京都に新しく室町幕府を開きました。3代将軍足利義満の時代には，幕府の力が最も強まり，義満は中国（明）と貿易を行うとともに，文化や芸術を保護しました。

現在でも京都市には，室町時代の建物が多く残されています。こうたさんたちは，8代将軍の足利義政が建てた銀閣やすぐ近くにある東求堂について気づいたことを話し合いました。

「池と庭があるね。前に学習した貴族のやしきとも武士のやかたとも様子がちがうね。建物の中は，どうなっているのかな。」

5

10

違い棚
ふすま
障子
付け書院
たたみ

↑5 書院造の部屋（東求堂）国宝 世界遺産　家や公民館などにある現在の和室と比べてみましょう。

世紀	時代
	縄文
	弥生
3	
4	古墳
5	
6	
7	飛鳥
8	奈良
9	
10	平安
11	
12	
13	鎌倉
14	
15	室町
16	安土桃山
17	
18	江戸
19	
20	明治 大正 昭和 平成
21	令和

「金閣がごうかなのに比べて，銀閣は落ち着いた感じがするね。」

「障子やふすまがあって，現在の和室に似ているね。」

「こうしたつくりを**書院造**というそうです。ほかにも，このころ生まれた文化にはどのようなものがあったのか知りたいな。」

違い棚
ふすま
たたみ

↑6 現在の和室

学習問題

室町時代の文化は，どのようなものだったのでしょうか。

ことば

書院造　住宅の中で客をもてなすための専用の部屋のつくりとして発達しました。日本の文化に合ったつくりなので，長く受けつがれ，現在の和室につながっています。

年	主なできごと
1338	足利尊氏が京都に幕府を開く
1368	足利義満が征夷大将軍になる
1378	義満が京都の室町に花の御所（将軍の住居）をつくる
1397	義満，金閣を建てる
1449	足利義政が征夷大将軍になる
	茶の湯や生け花などが流行する
1467〜1477	応仁の乱が起こる
1489	義政，銀閣を建てる

↑7 この時代の主なできごと

↑①雪舟がえがいたすみ絵（天橋立図）国宝

調べる

室町時代の文化には，
どのような特色が
あるのでしょうか。

↑②雪舟の作品（四季花鳥図，重要文化財）

←③雪舟　周防など
を支配していた武将
の大内政弘と交流し，
現在の山口県などで
多くの作品をえがき
ました。

新しい文化が生まれる　鎌倉時代半ばに中国から
伝えられた**すみ絵**（水墨画）は，室町時代になっ
て雪舟によって芸術として大成されました。

　雪舟は，備中（岡山県）に生まれ，幼いうちに
寺に入り，絵に親しみました。そして，京都の　　5
寺ですみ絵を学んだ後，周防（山口県）に移り住
みました。その後，中国にわたると，約２年間，
各地で本格的な水墨画にふれ，研究を重ねながら
絵のうでもみがきました。中国でも絵の才能を認
められた雪舟は，それまでの水墨画に独自の考え　10
を加えて，新しい画風を打ち立てようとしました。

　中国から帰国した雪舟は，日本の自然の美しさ
を求めて，周防のほかにも豊後（大分県）や石見
（島根県）などの各地をめぐって大自然の雄大さを

58

↑4 茶の湯

↑5 生け花を楽しむ外国人

🌱 生け花

　室町時代からさかんになった生け花は，その後も発展し，現在では，さまざまな流派があります。

えがきました。岩や山の輪郭をするどく，はっきりとえがき，すみのこい，うすいをぬり分けた画法は雪舟独特のもので，多くの絵師にえいきょうをあたえました。国宝の「天橋立図」など，
5　現在も多くの人々に親しまれています。

　室町時代には茶を飲む習慣も広まり，静かにお茶を楽しむための茶室もつくられるようになりました。また，書院造の床の間をかざる生け花もさかんになりました。茶の湯や生け花は，現在，
10　日本人だけでなく外国の人にも親しまれています。

　さらに，龍安寺のように，寺の庭に石庭がつくられるようになりました。雪舟も各地に庭園をつくっており，中国の風景をもとに，むだなかざりがなく，力強さを感じるものになっています。

ことば

すみ絵　中国で生まれ，日本には禅宗（仏教の一派）とともに伝えられたので，寺でさかんにえがかれました。独特の技法でえがかれた絵は，アジア文化の特徴をよく表すものとして，海外でも評価されています。

文化

石と砂で世界を表す

～龍安寺の石庭～

　京都の龍安寺には，枯山水という石と砂で山や水などを表す様式の石庭があります。庭づくりでは，身分のうえで差別されてきた人たちが活やくしました。室町時代につくられた数々の庭園は，今も人人の心をとらえ，季節ごとに多くの人がおとずれます。

→6 龍安寺の石庭 世界遺産

←②壬生の花田植（広島県）　現在も行われている田植えの祭りの様子です。

←①田植えの様子（月次風俗図屏風　重要文化財）　村ごとに，農民がそろって田植えを行うようになりました。田楽をおどる人々もいます。

現在に受けつがれている文化には，どのようなものがあるのかな。

調べる

室町時代に生まれた文化には，ほかにどのようなものがあるのでしょうか。

室町文化と現在のつながり　室町時代には，農民が農具を工夫して改良し，生産力が上がりました。さらに，都市を中心に商業や工業も発達していきました。民衆の力が高まり，お祭りやぼんおどりなども各地でさかんに行われるようになりました。伝統芸能である能は，足利義満の保護を受けた観阿弥・世阿弥の父子によって大成されまし

↑↗④能（上）と能面　少ない人数で，役者の言葉と動きを中心に，道具などをほとんど使わずに演じられます。能面は，能を演じるときにつける面です。

文化

守り伝えるべきもの
〜無形文化遺産〜

　能と狂言をあわせて能楽とよびます。能楽は人々が守り伝えていくべき貴重な宝として，国内では重要無形文化財に指定され，国際的にも無形文化遺産として認められています。無形文化遺産は，ユネスコ（国連教育科学文化機関）が決定しています。

↓③国連本部で行われた狂言の公演

ことば

能・狂言　奈良時代ごろに大陸から伝わった芸能が，やがて猿楽となり，民衆に広まっていた田楽を取り入れて発展しました。猿楽の歌や舞は能として，こっけいな物まねは狂言として，それぞれ確立されました。

↑⑤機織りの職人（職人尽歌合）手工業を仕事とする人々は，職人とよばれました。

↑⑥御伽草子 現在でも知られている話も多くあります。上は「ものぐさ太郎」です。

地方への文化の広まり

　室町時代，有力な武将たちは大名とよばれ，将軍に仕えるために京都で生活するようになりました。京都を中心に生まれた室町時代の文化は，こうした大名やその家来，旅の僧などによって，地方へと広がっていきました。

　また，将軍義政のころに応仁の乱という大きな戦いが京都で起き，多くの文化人が戦いをさけて地方の都市へ行ったために，そうした都市では大いに文化が栄えました。

　学問もさかんになり，僧たちが漢学（中国の学問）を学んだ足利学校には，全国から学生が集まりました。

↑⑦足利学校（栃木県足利市）

た。また，狂言は，民衆の生活などを題材に，せりふも日常の会話を用いて，民衆の間に広まりました。

　生活面では，1日3回食事をする習慣が起こってきました。うどん，とうふ，こんにゃく，納豆などが人々の間に広まり，しょうゆや砂糖も使われるようになりました。

　室町時代に生まれたこれらの文化の多くは，今でもくらしのなかに受けつがれています。

まとめる

学習問題について調べてきたことを整理し，ことばを使って室町時代の文化のしょうかい文を書きましょう。

学習問題を確認しよう。

学習問題
　室町時代の文化は，どのようなものだったのでしょうか。

まとめの活動に**ことば**を生かそう。

ことば
●書院造　●すみ絵　●能・狂言

現在とつながりの深い室町文化

　足利氏が京都の室町に幕府を置いたころに生まれた文化には，現在とつながりの深いものが多くあります。例えば，東求堂には「書院造」とよばれる様式があり，現在の和室に似ています。また，雪舟が残した「すみ絵」の作品は，今も多くの人に感動をあたえます。さらに，生け花は，現在では日本だけでなく外国の人にも親しまれています。さらに，日本を代表する伝統芸能の一つである能も，室町時代に発展しました。

　ぜひ，日本に受けつがれてきた文化に親しみ，楽しんでみてください。

室町文化を体験して
レポートを書こう。

1 茶室の様子

　茶釜や風炉などの茶の道具が置かれ，床の間には，かけじくや生け花がかざられています。

2 おかしをいただく

　あいさつをした後，初めにおかしをいただきます。おかしは，懐紙とよばれる紙の上に取っていただきます。

3 お茶を楽しむ

　まず右手で茶わんを取り，左手の上にのせてあいさつをします。そして，茶わんを時計回りに回してからいただきます。味だけでなく，茶わんの美しさやお茶の色，かおりも楽しみます。

まなび方コーナー

レポートを書く

茶の湯体験レポートを書く

【レポートの形式を決める】
● レポートで書く内容を事前に整理して，それぞれに見出しをつける。
● その中でも特に中心となるものを決める。
【レポートを書く】
● わかりやすくするために写真や図を用いる。
● 調べたことと，自分の感想や考えなどは，区別して書く。

レポートを書くときに，**ことば**を活用するといいね。

茶の湯の体験

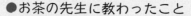

　　　６年１組　足立りく

● 茶会の場所とメンバー
　・場所：学校の茶室
　・メンバー：お茶の先生方，大西，浜田，村山，足立

● お茶の先生に教わったこと
　・お花，お茶わん，すみ絵，書院造の部屋など，さまざまな文化と関係が深い。
　・礼儀作法をとても大切にしている。

● 体験をした感想
　　和室で正座をしてお茶やおかしをいただいていると，まるで５００年前の世界にいるような気持ちになりました。自分たちのたてたお茶をおたがいに飲むことができ，楽しい体験ができました。

● これから調べてみたいこと
　・茶の湯の歴史について

室町時代の京都の祭り―祇園祭礼図屏風

これはどういう屏風かな

京都の祇園社（八坂神社）と近江（滋賀県）坂本の日吉山王社の祭りを一対にした屏風で，16世紀中ごろに土佐光茂という絵師がえがいたと考えられています。当時の祭礼をえがいたものでは，群をぬいて精密です。

今に伝わる文化

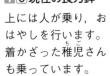

↑③現在の長刀鉾

上には人が乗り，おはやしを行います。着かざった稚児さんも乗っています。

←④鉾建ての様子

くぎを一切使わずに，なわなどで鉾を組み立てます。

じっくり見よう

↑①いろいろな人が見物に来ています。

↑②かざりには海をこえて伝わったアジアのじゅうたんも。

織田信長
豊臣秀吉
徳川家康
五

6 戦国の世から天下統一へ

つかむ

長篠の戦いがあった
ころの世の中の様子に
ついて話し合いましょう。

戦国大名の登場 ひろとさんたちは，屏風絵を見

ながら戦いの様子について話し合いました。

織田信長や豊臣
秀吉など，有名な
武将がいるね。

右と左の軍で武器や
戦い方がちがうよ。ど
ちらが勝ったのかな。

↑2火縄銃　長篠の戦いの約30年前，ポルトガル人
を乗せた船が種子島（鹿児島県）に流れ着きました。そ
のときに鉄砲が日本に伝えられ，その後，堺（大阪府）
などで大量につくられるようになりました。

ことば

鉄砲　当時の戦い方を大きく変えた鉄砲は，と
ても高価なものでした。その威力に目をつけた織
田信長は，鉄砲の生産地や貿易港を支配すること
で，ほかの大名より多くの鉄砲を手に入れました。

↑1 長篠の戦い（長篠合戦図屏風） 1575年に起きた，織田・徳川の連合軍（左）と武田軍の戦いです。

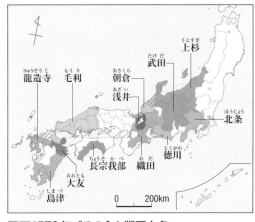

どのような戦い方の
くふうがあったのかな。

室町幕府がおとろえると，戦国大名とよばれる各地の武将が，自分の支配する土地を守るための城をつくり，勢力を争う戦国の世となりました。戦いは各地でくり広げられ，こうした時

5 代は100年ほど続きました。その後，天下統一に向けて大きな力を発揮したのは，長篠の戦いに勝利した織田信長と家来の豊臣秀吉でした。

「鉄砲は，外国から入ってきたんだね。このころは，どんな時代だったのかな。」

↑3 1570年ごろの主な戦国大名

世紀　時代

縄文

弥生

3

4　古墳

5

6

7　飛鳥

8　奈良

9

10　平安

11

12

13　鎌倉

14

15　室町

16　安土桃山

17

18　江戸

19

20　明治　大正　昭和　平成

21　令和

織田信長, 豊臣秀吉とその時代

社会の様子	年令(才)	織田信長	年令	豊臣秀吉
1543 鉄砲が伝わる ポルトガルとの貿易が始まる				
1549 キリスト教が伝わる				
	27	1560 今川氏を破る（桶狭間の戦い）	24	1560 織田方の兵士として戦う
1561 武田氏と上杉氏が川中島で戦う	29	1562 家康と連合する		
	36	1569 キリスト教をゆるす 堺を支配する		
	38	1571 延暦寺を焼く		
	40	1573 室町幕府をほろぼす	37	1573 このころ羽柴秀吉と名のる
	42	1575 長篠の戦い	39	
1576 京都にキリスト教の教会堂ができる	43	1576 安土城を築く		
	44	1577 安土城下で楽市・楽座を行う		
1582 九州の大名が4人の少年をローマにおもむかせる	49	1582 明智光秀におそわれ自害する	46	1582 明智光秀をたおす,検地を始める
1584 スペインとの貿易が始まる			47	1583 大阪城を築く
			49	1585 関白となり, 後に豊臣と名のる
			52	1588 刀狩を命じる
			54	1590 全国を統一する
			56	1592 朝鮮を侵略する（1回目）
1597 朝鮮から連れてこられた職人が焼き物を伝える			61	1597 朝鮮を侵略する（2回目）
			62	1598 病死する

室町時代（戦国時代）　安土桃山時代

1540年／1560／1570／1580／1590／1600

↑1 織田信長

↑2 豊臣秀吉

二人の武将が行ったことを比べて, 似ている点やちがう点を考えてみよう。

つかむ

年表や資料を見ながら話し合って学習問題をつくり, 学習計画を立てましょう。

ことば

天下統一　天下統一を夢見た武将の多くは, 自分の力を室町幕府や朝廷によって認めてもらうため, まず京都をめざしました。尾張（愛知県）を拠点とした織田信長は, 京都に近い位置にいたので有利でした。

天下統一を進めた二人の武将　りくさんたちは, 年表や資料を参考にして, この時代の様子や疑問に思ったことについて話し合いました。

「信長は, 秀吉や家康と力を合わせて**天下統一**をめざしていたのではないかな。」

「天下統一のためには, 戦い方のくふう以外にも, 何かひみつがあるのではないかな。」

学習問題

織田信長, 豊臣秀吉は, どのようにして戦国の世をおさめていったのでしょうか。

5

天正の少年使節

↑③ 使節の足取り

（地図内）
ポルトガル　ローマ
インド
長崎

往路
復路
0　2000km

1582年，キリスト教を信じる九州の大名が，4人の少年をローマへ向けて派遣しました。長崎を出発した使節は，2年半をかけてポルトガルに着き，その後ローマにわたってかんげいされます。日本でキリスト教を広めるための準備をして，8年後に帰国しますが，出発したときと状きょうが変わり，帰国したころの日本では，キリスト教を広めることは禁止されていました。

↑④ 少年使節

学習問題 について予想しよう

信長も秀吉も新しいきまりをつくって，政治の力で武士や農民を従わせたのではないかな。

信長は鉄砲を使って戦いに勝ったので，力でほかの戦国大名をおさえて領地を増やしていったと思います。

この時代の日本と外国との関係を調べてみる必要があるのではないかな。

学習計画 を立てよう

調べること

学習問題についての予想を確かめるために，次の三つのことを中心にこの時代の様子や二人の武将が行ったことを調べる。

・外国とのかかわり
・戦いの様子
・政治の様子

●この時代の日本は，外国とどのようにかかわったのでしょう。

●織田信長は，天下統一に向けてどのようなことを行ったのでしょう。

●豊臣秀吉は，天下統一に向けてどのようなことを行ったのでしょう。

調べ方

・教科書，資料集で調べる。

・年表や歴史辞典，図書館の本を使って調べる。

・ビデオなどの資料やインターネットを活用して調べる。

まとめ方

二人の武将について調べてわかったことをもとに，「天下統一に向けての働きが大きかったのは，信長か秀吉か」というテーマで，ミニパネルディスカッションをする。

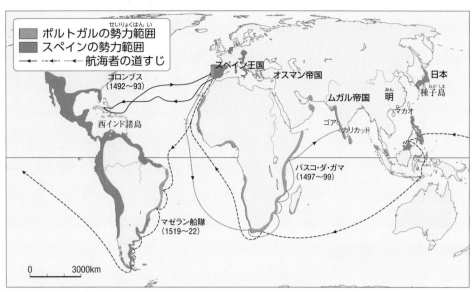

↑②フランシスコ・ザビエル

キリスト教は、どのように伝わってきたのかな。

↑①当時の世界とのつながり　ヨーロッパの国々は、キリスト教を広め、貿易を行うために世界に進出しました。

調べる

戦国の世、日本と外国にはどのようなかかわりがあったのでしょうか。

↑④キリスト教を信じる戦国大名の印

ことば

キリスト教　当時、スペインやポルトガルからフランシスコ・ザビエルらの宣教師がやってきて、西日本を中心にキリスト教を伝えました。人々は、キリスト教に新鮮さを感じ、貿易港や布教が許された土地を中心に信者の数が増えていきました。

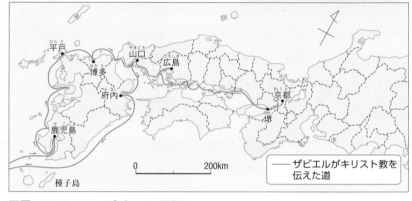

↑③フランシスコ・ザビエルの足取り

ヨーロッパ人の来航

戦国大名が日本の各地で戦っていたころ、ヨーロッパ人がアジアに進出していました。日本にも、スペインやポルトガルといった国から宣教師や貿易船がやってきて、ヨーロッパの進んだ文化や品物をもたらしました。

フランシスコ・ザビエルは、日本に鉄砲が伝わった数年後に鹿児島に来て、西日本をまわりながら**キリスト教**の教えを広めました。キリスト教を信じる戦国大名も現れました。

5

↑→5 **南蛮貿易の様子**
堺や長崎などの港を中心に行われ，南蛮船から鉄砲や火薬，中国の生糸や絹織物，東南アジアのものなどがもたらされました。日本からは，金や銀，漆器などの工芸品が輸出されました。

何を運んでいるのか注目してみよう。

　一方，堺（大阪府）などの港町は，これらの国々との貿易（南蛮貿易）によって大いに栄えました。特に，鉄砲のえいきょうは大きく，長篠の戦いで勝利した織田信長をはじめ，戦国大名の多
5 くが鉄砲を求め，戦い方も変化していきました。

　このように，ヨーロッパ人の来航は，この時代に大きな変化をもたらし，織田信長や豊臣秀吉の戦いや政治にも大きなえいきょうをあたえました。

言葉に残る南蛮文化

　このころ，スペインやポルトガルから伝わり，今では日本語として使われている言葉が多くあります。

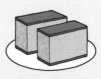

● ボタン ● カステラ
● カッパ ● タバコ

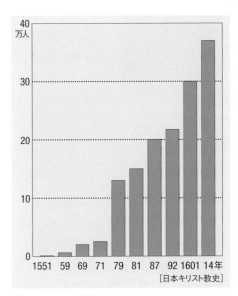

↑6 **キリスト教徒の増加**　キリスト教を信じる人々が，このころ急激に増加しました。（人数は推定です。）

↑①安土城（滋賀県 安土城郭資料館復元模型：内藤昌復元ⓒ）　五層七階の日本初の本格的な天守です。1579年に完成し、1582年の本能寺の変後に焼失しました。この復元模型は、1969年に新たに発見された資料をもとにつくられました。

調べる

織田信長は、天下統一をするために、どのようなことを行ったのでしょうか。

←③「天下布武」の印　信長が使った印で、武力で天下を統一しようという信長の意気ごみが表れています。

信長のエピソード

信長は若いころ、「大うつけ」（おろかな者）とよばれていたそうです。きみょうな髪型やかっこうで外を歩いたり、人前で柿や瓜にかぶりついたりと行儀も悪かったそうです。父親の葬儀では、仏前に物を投げつけたといわれています。常識にとらわれず、人とはちがうことを好んでいました。
（「信長公記」より）

信長は、どのように勢力を広げていったのかな。

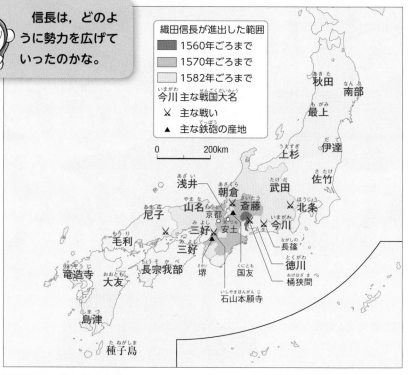

織田信長が進出した範囲
- ■ 1560年ごろまで
- ■ 1570年ごろまで
- □ 1582年ごろまで

今川 主な戦国大名
✕ 主な戦い
▲ 主な鉄砲の産地

0　200km

秋田　南部　最上　上杉　伊達　佐竹　武田　北条　浅井　朝倉　斎藤　山名　京都　今川　尼子　三好　安土　長篠　毛利　三好　徳川　長宗我部　堺　国友　桶狭間　竜造寺　大友　石山本願寺　島津　種子島

↑②信長の勢力拡大の様子

安土城と織田信長

織田信長は、尾張（愛知県）の小さな大名でしたが、桶狭間の戦いで大軍の今川氏を破り、武力による天下統一に向けて動き出しました。堺（大阪府）などの商業都市を支配したことで、豊富な資金が手に入るようになった信長は、こうした資金をもとに、大量の鉄砲や軍船などの武器をそろえました。そして、有力な大名をたおしたり、将軍の足利氏を京都から追放して室町幕府をほろぼしたりして、勢力を拡大していきました。

長篠の戦いに勝った翌年には、京都に近い安土（滋賀県）に自らの力を示す大きな城を築き、城下町に家来を住まわせて天下統一に向けた拠点にしました。さらに信長は、当時強い力をもってい

5

10

↑④**安土城の城下町**（想像図）　信長は，安土の城下町に家来を住まわせて戦いに備えました。また，商人を集め，安土につながる道路を整備し，琵琶湖とつながる水路をつくりました。

←⑤**安土城の位置**　安土は，京都に近く，陸路と水路の両方を便利に使うことができました。

↑⑥**南蛮寺**　信長が京都に建築を許した教会堂。

た仏教勢力を武力で従わせました。

　一方で，ヨーロッパから伝えられたキリスト教を保護し，安土にはキリスト教の学校，京都には教会堂を建てることを許しました。

5　安土の城下町では，だれでも商売ができ（**楽市・楽座**），市場の税や関所をなくすなど，これまでのしくみを大きく改めて，商業や工業をさかんにしました。

　しかし，信長は天下統一の途中，京都の本能

10寺で家来の明智光秀におそわれて，自害しました。

> **ことば**
>
> **楽市・楽座**　信長は，安土城下での自由な商売を認めるとともに，往来する商人たちが城下の道路を通り，城下にとまるよう義務づけました。楽市・楽座は，商工業をさかんにする一方で，商工業者を統制するねらいもあったといわれています。

↑2 検地の様子 検地とは，領地にどれぐらいの田畑があり，そこからの生産高がどれぐらいあるのかを調査し，検地帳に記入していくことです。

←3 検地のものさし 長さ1尺（約30cm）。

（表）（裏）このものさしで田畑の広さを測りました。

調べる

豊臣秀吉は，
天下統一をするために，
どのようなことを
行ったのでしょうか。

↑1 検地帳 村ごとの検地の結果を記しています。上から，田畑のよしあしと広さ，とれる米の量，耕作している人の順に書かれています。

↑4 現在の大阪城（大阪市）秀吉が築いた当時の大阪城は，金ぱくのかわらを使ったごうかな天守閣があり，秀吉の権力を見せつけました。

秀吉のエピソード

　幼いころからかしこく，人のいう通りにすることをきらっていました。そんな秀吉が信長の家来になったばかりのころ，寒い夜に信長のぞうりを背中に入れて温めていたとされる話は有名です。また，あるときは，だれもがいやがる危険な仕事を引き受け，一夜にしてとりでを築いたとの話も残っています。（「名将言行録」より）

大阪城と豊臣秀吉

　豊臣秀吉は，尾張（愛知県）の身分の低い武士の子として生まれ，織田信長に仕えて有力な武将となりました。秀吉は，信長にそむいた明智光秀をたおし，やがて朝廷から関白に命じられました。そして，四国や九州，関東，東北の大名の力や，一向宗などの仏教勢力をおさえ，天下統一をなしとげました。

　秀吉は，大阪に城を築いて政治の拠点とし，大阪を中心とした物資の流れをつくったり，金や銀の鉱山を支配したりすることで，ばく大な財力をたくわえました。また，平定した土地で検地を行い，田畑の広さや土地のよしあし，耕作している人物などを調べ，収入を確かなものにしました。

　その一方で，刀狩令を出し，百姓たちから刀や鉄砲などの武器を取り上げて，反抗できないよ

5

10

15

検地と刀狩は，社会にどのようなえいきょうをあたえたのかな。

一 諸国の百姓が，刀，やり，鉄砲などの武器をもつことを，かたく禁止する。武器をたくわえ，年貢を出ししぶり，一揆をくわだてて領主に反抗する者は，厳しく処罰される。

一 取り上げた刀などは，京都に新しくつくる大仏のくぎなどにする。百姓は仏のめぐみを受けて，この世ばかりか，死んだ後も，救われるだろう。

↑5 秀吉が出した刀狩令

世界文化遺産の石見銀山

16世紀ごろから本格的な開発が始まった石見銀山の良質な銀は，南蛮貿易でヨーロッパにも広がり，ヨーロッパとアジアの経済や文化の交流に大きな役割を果たしました。秀吉の財力を支えるうえでも重要な場所でした。

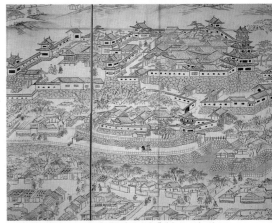

↑6 石見銀山（島根県大田市）
世界遺産

↑7 名護屋城（肥前名護屋城図屏風，佐賀県重要文化財）　現在の佐賀県にあった名護屋城は，朝鮮に大軍を送るための拠点として，秀吉が約5か月でつくらせたといわれています。

うにしました。

　検地と刀狩によって，武士と，百姓・町人（商人や職人）という身分が区別され，武士と町人は城下町に住み，百姓は農村や山村，漁村で農
5 業や林業，漁業などに専念するようになりました。武士が世の中を支配するしくみが整えられていったのです。その後，秀吉は，海外にも目を向け，中国（明）を征服しようと，2度にわたって朝鮮に大軍を送りました。しかし，秀吉が途中
10 で病死し，日本軍は引きあげました。

すぐれた焼き物が日本に伝わる

　2度の戦いで，朝鮮の国土は破壊され，多くの人が殺害されたり，日本に連れ去られたりしました。大名が朝鮮から連れてきた焼き物の職人が，今の佐賀県有田で日本で初めて白地の磁器を焼きました。これが有田焼の始まりです。有田以外でも，各地ですぐれた技術をもつ朝鮮の陶工による焼き物がつくられるようになりました。

百姓

　もともとは，貴族以外の一般の人々という意味でした。武士が登場すると，しだいに農業や漁業などを営み，年貢（税）などを納める人々を表すようになりました。そして，秀吉の時代に，村に住み，農業，林業や漁業に従事する人々の身分を表す言葉になりました。

ことば

検地と刀狩　戦国の世では，百姓などの領民も戦いに加わり，武士との身分のちがいは，それほど厳密ではありませんでした。しかし，検地と刀狩によって武士との身分のちがいが明確にされ，身分の固定化がはかられました。

↑8 有田焼

まとめる

天下統一を進めた二人の武将の働きについて，学習したことをもとに話し合いましょう。

学習問題を確認しよう。

学習問題

織田信長，豊臣秀吉は，どのようにして戦国の世をおさめていったのでしょうか。

まとめの活動にことばを生かそう。

ことば

● 鉄砲　● 天下統一
● キリスト教　● 楽市・楽座
● 検地と刀狩

① これまで学習してきたことをもとに学習問題をふり返り，織田信長と豊臣秀吉が行ったことをグループで整理しましょう。そして，「天下統一に向けての働きがより大きかったのは信長か秀吉か」をテーマに，自分の考えをノートに書きましょう。

	織田信長	豊臣秀吉
戦いの様子	・桶狭間の戦いで大軍の今川氏を破る。 ・長篠の戦いで鉄砲を使って武田氏を破る。	・織田信長をおそった明智光秀を破る。
政治の様子	・安土城を築き，	・検地を行い，

✎ 二人の武将が行ったことを，表に書いて整理してみましょう。

＜自分のまとめ＞

わたしは，どちらかというと，信長の働きがより大きかったと思います。

なぜなら，鉄砲を使うなど今までとちがう戦い方をして，強い戦国大名をたおしていったからです。

② ミニパネルディスカッションの役割を決めましょう。

・司会　　　　1名
・パネラー　　4名：信長を選んだ人　2名
　　　　　　　　　　秀吉を選んだ人　2名

③ミニパネルディスカッションをしましょう。

⑴ 4人のパネラーが，テーマについての自分の考えを述べる。

⑵ パネラー同士で質問や意見を述べ合う。

⑶ パネラーの話を聞いていた人たちからパネラーへ質問や意見を述べ，それぞれの考えを伝え合う。

④パネルディスカッションで出された意見を参考に，＜自分のまとめ＞の下に，
改めて＜学習のまとめ＞をノートに書きましょう。

〇月〇日

めあて　天下統一を進めた二人の武将の働きについて，学習したことをもとに話し合いましょう。

＜自分のまとめ＞

　わたしは，どちらかというと，信長の働きがより大きかったと思います。

　なぜなら，鉄砲を使うなど今までとちがう戦い方をして，強い戦国大名をたおしていったからです。

＜学習のまとめ＞

　信長は，戦いに勝ちながら最初に京都に入りました。そして，楽市・楽座を行うなど，戦いだけでなく，まちづくりの面でも，今までとちがったことを行い，国をおさめていきました。

　秀吉は，

石田三成軍

徳川家康軍

①関ヶ原の戦い（関ヶ原合戦図屏風） 1600年，豊臣氏に味方する石田三成を中心とする西軍と徳川家康を中心とした東軍に分かれて戦いました。

7 江戸幕府と政治の安定

→②徳川家康

つかむ

江戸幕府が力を強め，政治を安定させたしくみについて話し合い，学習問題をつくりましょう。

歌に見る3人の武将の天下統一

「織田がつき 羽柴がこねし 天下もち すわりしままに 食ふは徳川」

後の時代に，3人の武将による天下統一の様子は，上のような歌によまれました。

新しい戦い方を用いて武力で統一を進めた信長，検地や刀狩など知恵を働かせて社会のしくみをつくった秀吉，天下を取るチャンスを最後までじっと待ち，250年以上続く江戸幕府を築いた家康と，3人の果たした仕事の様子をよんだ歌になっています。

徳川家康と江戸幕府

徳川家康は，三河（愛知県）の小さな大名の子として生まれました。おさないころは，周辺の大名の人質となり，苦労を重ねましたが，成長すると勢力をのばし，戦いにすぐれた武将として知られるようになりました。 5

豊臣秀吉の天下統一に協力し，関東の有力な大名となった家康は，秀吉の死後，多くの大名を味方につけて勢いを強め，天下分け目の戦いといわれた関ヶ原（岐阜県）の戦いで自分に反対する大名たちを破り，全国支配を確かなものにしました。10

1603年，家康は，朝廷から征夷大将軍に任じられ，江戸（東京都）に幕府を開きました。家康は，幕府の重要な役職に古くからの家来をつけ，**江戸幕府**による支配体制を整えていきました。

（1石は約180L）

大名領
71%

幕府領
29%

総石高　約2470万石

仙台
佐渡
伊達
前田　金沢
日光
松平　福井　井伊
水戸
徳川
大阪
京都　彦根
徳川
毛利　名古屋
萩　　　　江戸
堺　　新居
和歌山
奈良　　下田
長崎　熊本　加藤
徳川

鹿児島
島津

0　　200km

◀④**主な大名の配置**　武家諸法度によって大名を取りしまるだけでなく、幕府は、主な鉱山や重要な都市を直接支配しました。

◆凡例◆
- 40万石以上の大名
- 25〜40万石未満
- 10〜25万石未満
- ● 幕府が直接支配した主なところ
- ○ 主な城下町

親藩
譜代
外様

（1632年ごろ）

まなび方コーナー

歴史地図を読み取る

幕府の支配を読み取る

【大名の配置を読み取る】
- 外様大名は、江戸から見て、どのようなところに配置されているか。
- 親藩や譜代の大名は、どのようなところに配置されているか。
- このように大名を配置した理由は、どのようなことか。

【直接支配したところを読み取る】
- 幕府が直接支配したところは、どこにあるか。その都市は、どのような特色があるか。
- 感想を教科書やノートに書く。

年	主なできごと
1600	関ヶ原の戦い
1612	キリスト教を禁止する
1615	武家諸法度を定める
1623	家光が3代将軍になる
1635	武家諸法度を改め、参勤交代の制度を加える
1636	各大名に江戸城の修理を命じる
1637	島原・天草一揆が起こる
1641	鎖国が完成する

↑⑤この時代の主なできごと

　家康は、全国の大名を、徳川家の親せきの親藩、古くからの徳川家の家来の譜代、関ヶ原の戦い後に徳川家に従った外様に分け、その配置をくふうしました。1615年、家康は大阪の豊臣氏をほろぼすとともに、全国に一国一城令を出して、大名が住む城以外の城の破壊を命じました。こうして戦いのない安定した世の中がおとずれたのです。

「家康は、大名の配置にどのようなくふうをしていたのかな。」

「幕府が直接支配したところにも、何か意味がありそうだね。」

学習問題

江戸幕府は、どのようにして力を強め、政治を安定させようとしたのでしょうか。

ことば

江戸幕府　征夷大将軍を中心とする武士の政府を幕府といい、鎌倉幕府、室町幕府、江戸幕府が開かれました。江戸を政治の中心とした幕府は、強い力を社会におよぼし、最も長く続きました。

世紀	時代
	縄文
	弥生
3	
4	古墳
5	
6	
7	飛鳥
8	奈良
9	
10	平安
11	
12	
13	鎌倉
14	
15	室町
16	安土桃山
17	
18	江戸
19	
20	明治 大正 昭和
21	平成 令和

←**①日光東照宮の陽明門**（栃木県日光市）家光は，日光東照宮を建て直すために，ばく大な費用と多くの人数を使ったといわれています。国宝 世界遺産

調べる

徳川家康が開いた江戸幕府は，徳川家光にどのように受けつがれたのでしょうか。

武家諸法度（部分要約）

一●大名は，毎年4月に参勤交代すること。近ごろは，参勤交代の人数が多すぎるので，少なくすること。
一 自分の領地の城を修理する場合，届け出ること。
一 将軍の許可なしに，大名の家どうしで結婚してはいけない。
一●すべて幕府の法令に従い，全国どこでもそれを守ること。

（●印は，家光のとき加えた）

将軍による支配の安定　徳川家康と2代将軍の徳川秀忠は，武家諸法度というきまりを定め，全国の大名を取りしまりました。

　秀忠をついだ息子の徳川家光は，祖父の家康をまつる日光東照宮を大規模に建て直し，全国の大名を引き連れて参拝をくり返すことで，大名たちに幕府の力を見せつけていきました。 5

　また，家光は家康が築いた江戸城を大はばに改修し，全国を支配する拠点として整えました。このころには多くの町人が江戸に住むようになり，江戸の町は本格的なにぎわいを見せるようになりました。 10

武家諸法度によって，将軍と大名の関係はどのように決められたのかな。

↑②江戸城とそのまわりの様子（江戸図屏風） 江戸城の広さは，東西約6km，南北約4kmにもなりました。城のまわりをごうかな大名やしきが取り囲んでいました。

家光のころまでに，武家諸法度に反したなどの理由により，全国の多くの大名が取りつぶされ，将軍の力はますます強くなりました。江戸幕府のしくみも家光のころに確立し，安定した世の中をむかえることになりました。

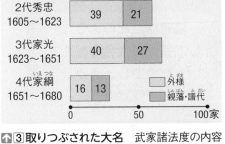

初代家康 1603～1605年	91家	1家
2代秀忠 1605～1623	39	21
3代家光 1623～1651	40	27
4代家綱 1651～1680	16	13

□外様　■親藩・譜代
0　　　50　　　100家

↑③取りつぶされた大名 武家諸法度の内容に反した大名は，取りつぶされました。領地をかえられる処分ですむ場合もありました。

生まれながらの将軍・家光

家光は，将軍になると，江戸城に大名を集めて言いました。

↑④徳川家光

「わたしの祖父の家康や父の秀忠は，お前たちといっしょに戦った仲間だった。みなの協力で，徳川家が天下を取ることができたのだから，将軍になった後も，えんりょがあった。しかし，わたしは，生まれながらの将軍である。お前たちは，家来であって，仲間ではない。これが不満なら戦いをしかけるがよい。お相手をいたそう。」

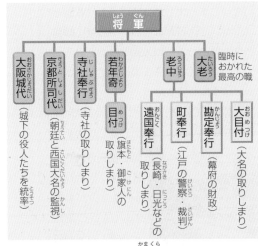

```
          将軍
```

| 大阪城代（城下の役人たちを統率） | 京都所司代（朝廷と西国大名の監視） | 寺社奉行（寺社の取りしまり） | 若年寄 → 目付（旗本・御家人の取りしまり） | 老中 → 遠国奉行（長崎・日光などの取りしまり）／町奉行（江戸の警察・裁判）／勘定奉行（幕府の財政） | 大老（臨時におかれた最高の職）→ 大目付（大名の取りしまり） |

↑⑤江戸幕府のしくみ 鎌倉幕府に比べて，より整った組織になっています。

調べる

幕府は，どのようにして多くの大名を従えていったのでしょうか。

入り鉄砲と出女

　江戸幕府は，街道の重要な場所に関所を設け，人やものの出入りを厳しく取りしまりました。特に「入り鉄砲と出女」に注意がはらわれ，江戸に鉄砲をもちこむことや人質となっている大名の妻などが江戸をぬけ出すことがないようにしました。

　神奈川県箱根町には，復元された関所があり，多くの人がおとずれます。

←②復元された箱根関所　手前が京から来た人が最初にくぐる京口御門で，右奥には江戸口御門があります。

大名の取りしまりと参勤交代

　徳川家光が将軍のころ，大名が行列を組んで領地と江戸との間を行き来する**参勤交代**の制度が整えられました。大名は，自分の城と領地を持っていましたが，多くの場合，１年おきに江戸のやしきに住まわされ，将軍に対して服従の態度を示しました。また，大名の妻と子どもは江戸のやしきでくらすことを義務づけられました。

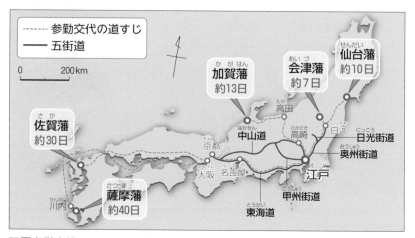

- - - - - 参勤交代の道すじ
──── 五街道

0　　　200km

加賀藩　約13日
会津藩　約7日
仙台藩　約10日
佐賀藩　約30日
薩摩藩　約40日

高田
中山道
高崎
京都
白河
日光街道
奥州街道
大阪
名古屋
江戸
甲州街道
東海道
川内

↑③参勤交代にかかった日数

←①加賀藩(石川県)の参勤交代図　参勤交代では，大勢の家来を引き連れて行き来したので，このような長い行列になりました。

↑④江戸時代の大名やしき(明治時代の写真)　大勢の人が広いやしきにくらし，その生活費は大名にとって負担となりました。

各地方の大名は，どのような経路で江戸に向かったのかな。

ことば

参勤交代　参勤交代が制度化されて，全国の大名は自分の領地と江戸との間を行き来しました。参勤交代によって，街道や宿場町が整備されたり，江戸の文化が各地に広まったりすることにもなりました。

　大名にとって，江戸での生活は多くの費用がかかるものでした。また，大名は将軍に命じられ，さまざまな土木工事の費用や労力を負担しました。

　幕府は，江戸と京都を結ぶ東海道など，江戸
5　と各地を結ぶ五街道をはじめとする主な道路を整備しました。街道は，参勤交代の行列だけでなく，旅人や荷物や手紙を運ぶ飛脚が行き来しました。

薩摩藩と木曽三川の治水

　江戸幕府は，各大名に対して，参勤交代だけでなく，江戸城の修理や河川の治水工事なども命じました。

　こうした工事は，「手伝い普請」といわれ，18世紀半ばに薩摩藩(鹿児島県)は，木曽三川(岐阜県)の治水工事を命じられました。約1000人の藩士を現地へ送り，1年3か月余りをかけて工事を完成させました。約40万両もの出費となり，薩摩藩にとって，大きな負担となりました。

↑⑤参勤交代のときに現地視察する薩摩藩主
工事は困難を極め，80人をこえる藩士が命を落としました。

↑⑥現代に残る宿場町(長野県塩尻市奈良井)
中山道の宿場町として栄えました。

武士

町人（職人）

百姓

町人（商人）

↑①さまざまな身分

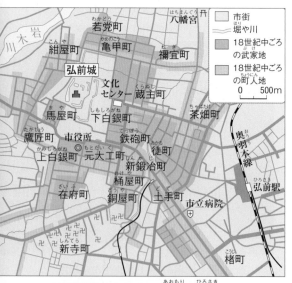

↑②城下町のなごり（青森県弘前市）

調べる

> 江戸時代，人々は
> 身分に応じて，
> どのようにくらしていた
> のでしょうか。

人々のくらしと身分　江戸時代の社会は，支配者である武士をはじめ，百姓や町人など，さまざまな身分の人々によって構成されていました。

　武士や町人は，政治や経済の中心である城下町に集められました。江戸をはじめ，全国につくられた城下町では，大名やその家来が住む武家地，寺や神社の地域，町人地など，身分によって住む場所が決められました。町人地では，町人たちが町という小さな社会にまとまり，商業や手工業，運輸業など，さまざまな仕事を営みました。10
都市には，城下町のほか，門前町や港町，宿場町，鉱山町などがありました。

> 城下町には，
> どのような地域が
> あったのかな。

特産物に
かかる税

道路の修理や，
堤防の工事

宿場の応援

↑③百姓が負担するいろいろな税や役

　江戸時代の人口の80％以上は，百姓でしめられていました。百姓は，農村や山村，漁村に住み，米をはじめとする農産物をつくり，山や海から自然のめぐみを得てくらしていました。百姓は，名主（庄屋）とよばれる有力者を中心に，自分たちで村を運営しました。幕府や藩は，こうした村のまとまりを利用し，五人組というしくみをつくらせて，収穫の半分にもなる重い年貢（税）を納めさせたり，いろいろな役（力仕事）をさせたりしました。こうした中でも百姓は，農具を改良したり，肥料をくふうしたりして，農業技術を進歩させました。

　このほか，皇族や公家（貴族），僧や神官などの宗教者，能や歌舞伎をはじめとする芸能者，絵師，学者，医者など，多くの身分が見られました。また，百姓や町人とは別に厳しく差別されてきた身分の人々もいました。

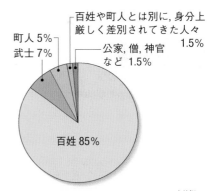

↑④こきばしから千歯こきへ　江戸時代，さまざまな農具が改良され，農業の生産力が高まりました。

町人 5%
武士 7%
百姓や町人とは別に，身分上厳しく差別されてきた人々 1.5%
公家，僧，神官など 1.5%
百姓 85%

↑⑤江戸時代の身分ごとの人口の割合（江戸時代の終わりごろ）

厳しく差別されてきた人々

　百姓や町人とは別に厳しく差別されてきた身分の人々は，仕事や住む場所，身なりを百姓や町人とは区別され，村や町の祭りへの参加をこばまれるなど，厳しい差別のもとにおかれ，幕府や藩も差別を強めました。

　これらの人々は，こうした差別の中でも，農業や手工業を営み，芸能で人々を楽しませ，また，治安などになって，社会を支えました。

ことば

身分　江戸時代には，武士や百姓，町人などの身分が固定化し，身分によって職業や住む場所のほか，税などの負担が決められました。それらは，親から子へと代々引きつがれていきました。

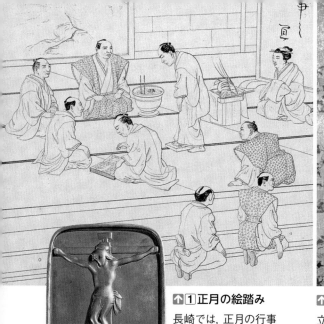

↑①正月の絵踏み
長崎では, 正月の行事として, キリストの像を踏んで, 信者でないことを証明しました。

↑②絵踏みに使われた像（踏み絵）

調べる

幕府は, どのようにしてキリスト教を禁止したのでしょうか。

↑③日本町のあったところ

（地図凡例）
● 日本町のあったところ
○ 日本人が住んでいたところ
— 貿易船の主な航路
0　1000km

朝鮮
日本
長崎
明
台湾
シャム
ルソン
カンボジア
ボルネオ
スマトラ
ジャワ

↑④島原・天草一揆　一揆勢は, 天草四郎（益田時貞）という少年をかしらに原城に立てこもり, 幕府軍（手前）がそれをせめています。

キリスト教の禁止と鎖国

江戸幕府は, 初め外国との貿易をさかんにしようとして, 大名や商人に許可状（朱印状）をあたえて外国との貿易を保護しました。その結果, 多くの貿易船が東南アジアなどに向かい, 各地に日本町がつくられました。5 また, 外国の貿易船が東アジア各地から西日本の港へやってきました。

しかし, 外国の貿易船に乗ってきた宣教師たちにより, 国内にキリスト教の信者が増えていくと, 江戸幕府は, 神への信仰を重んじる信者たち 10 が幕府の命令に従わなくなることを心配してキリスト教を禁止し, 信者を取りしまるようになりました。さらに, 宣教師や貿易船の出入りを制限し, 人々が海外に行くことや海外から帰ってくることを禁止しました。このようなとき, 九州の 15 島原（長崎県）や天草（熊本県）で, キリスト教の信者を中心に３万数千人もの人々が重い年貢の取

↑5 **出島** 長崎の港につくられた人工の島で、オランダとの貿易の場所になりました。

鎖国のもとで貿易を行っていたのは、どのような場所だったのかな。

鎖国のなかでの交流

　鎖国の間も、ほかの国や地域との交流がとだえたわけではありませんでした。オランダや中国との貿易は長崎で行われ、朝鮮との貿易は対馬藩を通じて行われていました。また、薩摩藩に征服された後も琉球（沖縄県）は中国との貿易を続け、蝦夷地（北海道）では松前藩がアイヌの人々との交易を行っていました（琉球と蝦夷地については87ページ参照）。このように、「四つの窓口」を通して海外との交流が続いたことから、日本は江戸時代に「鎖国」をしていたわけではないとする考えもあります。

年	主なできごと
1612	キリスト教を禁止する
1616	ヨーロッパ船の来航を長崎、平戸に制限する
1624	スペイン船の来航を禁止する
1635	日本人の海外渡航・帰国を禁止する
1637	島原・天草一揆が起こる
1639	ポルトガル船の来航を禁止する
1641	平戸のオランダ商館を出島に移す（鎖国の完成）

↑6 鎖国までの歩み

り立てに反対して一揆を起こしました。徳川家光は、大軍を送ってこの一揆をおさえました。

　その後、絵踏みを行って信者を発見し、キリスト教をいっそう厳しく取りしまりました。また、

5　貿易の相手を、キリスト教を広めるおそれのないオランダと中国に限り、貿易船の出入りを、幕府の港町である長崎に限って認めました。この幕府の政策は、のちに**鎖国**とよばれるようになりました。長崎には出島や唐人（中国人）やしきが

10　つくられ、役人や一部の商人などを除いては、出入りが許されませんでした。以後の貿易は、幕府だけが行うことになりました。

ことば

鎖国　幕府は、外国との貿易や交渉を行う場所を厳しく制限し、貿易で得られる利益や海外からの情報をほぼ独占しました。幕府の政策は、この後200年以上続くことになり、社会に大きなえいきょうをあたえました。

朝鮮と対馬藩

　朝鮮との貿易や外交は、対馬藩（長崎県）を通して行われ、将軍がかわったときに、お祝いと友好を目的に朝鮮から数百人もの使節団が、江戸をおとずれました。

　使節団は、各地でかんげいを受け、その宿舎には、朝鮮や中国のことを知ろうと、大勢の人がおしかけました。

↑7 朝鮮通信使の代表（正使）

まとめる

学習問題について調べてきたことを整理し，最後に，当時の人々になったつもりでせりふをうめましょう。

学習問題を確認しよう。

学習問題

江戸幕府は，どのようにして力を強め，政治を安定させようとしたのでしょうか。

まとめの活動にことばを生かそう。

ことば

● 江戸幕府　● 参勤交代
● 身分　● 鎖国

---

①江戸幕府が政治を安定させるために，人々に対して行ったことを整理しよう。

● 大名に対して

_____

_____

_____

● 百姓や町人などに対して

_____

_____

_____

● キリスト教の信者や外国の貿易船に対して

_____

_____

_____

②江戸幕府の政治について，人々がどう思ったか考えよう。

百姓

外様大名

オランダの商人

立場によって，江戸幕府の政治に対する思いはどのようにちがうのかな。

ひろげる

江戸時代の琉球と蝦夷地 ～沖縄県・北海道～

あおいさんとひろとさんは，独自の歴史をもつ現在の沖縄県や北海道について調べました。

あおいさんのレポート 「沖縄」

↑**1** 首里城（復元，写真は2003年） 琉球国王の拠点であり，すぐ近くの那覇港で貿易が行われました。貿易は，国王が管理した国営事業でした。世界遺産

↑**2** 沖縄料理のクーブイリチー 昆布，ぶた肉，こんにゃく，しいたけをいためたものです。

●室町時代のころ，琉球王国は，日本や中国，朝鮮，東南アジアの国々との貿易で栄えました。江戸時代の初め，薩摩藩に征服されましたが，江戸幕府が異国と見なしたため，中国との貿易を続けました。さつまいもが中国から琉球を経て日本にもたらされたのも，沖縄料理によく使われる昆布が蝦夷地から薩摩藩を通して琉球にもたらされたのも，こうした背景があります。

江戸時代，琉球の国王や将軍がかわるごとに，薩摩藩は，琉球の使節を江戸に連れて行き，将軍にあいさつをさせました。一方，国王がかわるごとに，中国の使節が琉球をおとずれました。中国の使節をもてなす際に演じられたのが組踊で，沖縄の特色ある伝統芸能として今日まで伝えられています。

←**3** 組踊 組踊は，せりふ・音楽・おどりで構成されている沖縄独自の演劇です。作品は，沖縄の歴史や説話を題材にしています。

ひろとさんのレポート 「北海道」

●江戸時代，北海道は蝦夷地とよばれていました。ここでは，アイヌの人々が，狩りや漁で得たものを日本や中国の商人と取り引きしていました。アイヌの人々が中国との交易で手に入れた蝦夷錦とよばれる絹でおられた着物は，高い値段で取り引きされました。17世紀半ば，シャクシャインに率いられたアイヌの人々は，不正な取り引きを行った松前藩と戦いました。

↑**4** 蝦夷錦

→**5** シャクシャインの像（北海道新ひだか町）

絵巻で見る，江戸時代の人々──熙代勝覧

えがかれた 江戸の まちかど　江戸時代，いちばん大きなまちだった江戸。熙代勝覧というこの絵巻には，今から200年ほど前の江戸のさまざまな店が立ち並ぶ通りに，武士，商人，芸人，旅人，僧など，たくさんの人でにぎわう様子が色あざやかにえがかれています。

通本町

こんな職業の人を 見つけよう。

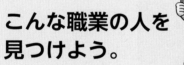
運送業

すし店

八百屋

雑貨店

江戸のまち あれこれ

●89ページの説明をヒントに せりふを考えよう。

88

日本橋付近のにぎわいについて，気づいたことを話し合うのもおもしろそうだね。

皇居（江戸城跡）

このページにえがかれている場所

東京駅

神田駅

日本橋

北

0 200m

まちにいるのはこんな人

1. すし店　青と白の市松模様の屋台ですしをにぎっています。
2. 猿回し　猿に芸をさせる道具を手に持っています。
3. きせる売り　たばこを吸う道具（きせる）を売り歩きます。
4. 餌差　長いさおの先に鳥もちをつけて小鳥をとらえます。
5. 菓子屋　紙風船で子どもをよびます。あめ売りでしょうか。
6. 番屋　まちかどで警備をしながら，いろいろなものを売ります。
7. 八百屋　近くの市場で仕入れた野菜を売り歩いています。

8. 牛車　荷物の俵をたくさん運ぶ牛は，現代のトラックにあたるでしょうか。牛をひくお兄さんがやさしくほほえんでいます。
9. 茶店　女性がお茶を屋台で売っています。
10. 水売り　長い柄の桶で井戸から水をくみ，売り歩きます。
11. 読売り　かさをかぶった二人が瓦版を読み上げて売ります。
12. 飯屋　まちかどの飯屋でご飯を食べさせています。
13. 勧進僧　のぼりを持って歩いています。信者が後ろを歩きます。
14. 薬屋　薬の看板をたくさんかけています。
15. 大道舂　臼を転がし，きねをかついで注文先で米をつきます。
16. 呉服屋　りっぱな土蔵づくりのお店で呉服をあきなっています。

↑①江戸の両国橋付近の様子　両国は，隅田川にかかる両国橋の東西にある広場で，江戸でいちばんにぎやかなさかり場でした。川沿いには，たくさんの茶屋がならび，東西の広場は，芝居や見世物の小屋，さまざまな小さい店でいっぱいでした。手前が西側，川の向こうが東側（現在の両国方面）で，橋の上，広場，川のどこも，花火を見物する人々や小舟であふれています。

8 町人の文化と新しい学問

つかむ

江戸や大阪のまちの様子やほかの資料をもとにして，当時の社会について話し合い，学習問題をつくりましょう。

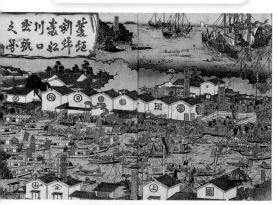

↑②大阪を出る船の様子　「天下の台所」として全国から産物を集め，多くのものが江戸に運ばれました。

江戸や大阪のまちと人々のくらし　平和が続き，社会が安定するにともなって，江戸や大阪のまちは，政治や経済の中心地として大いににぎわいました。江戸には各藩のやしきが置かれ，武士や町人などで，人口が100万人にもなりました。江戸や大阪のまちでは，商業も発達し，武士以外の人々の中にも，文化や学問に親しむ人が現れるようになりました。5

　また，**歌舞伎**という演劇が人気を集めたり，浮世絵という多色刷りの版画が多くの人々に親しまれたりしました。ほかにも，蘭学や国学という学問が広まりました。10

↑③芝居小屋の様子　多くの人が集まる様子がわかります。

←⑤歌舞伎役者を
えがいた浮世絵
多色刷りで美しい
絵は，人々の間でと
ても流行しました。

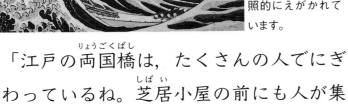

←④葛飾北斎の浮
世絵　近くの波と
遠くの富士山が，対
照的にえがかれて
います。

「江戸の両国橋は，たくさんの人でにぎ
わっているね。芝居小屋の前にも人が集
まっています。ぼくも行ってみたいな。」

「浮世絵はあざやかできれいだけれど，ど
うやってえがいたのかな。だれが，何のた
めに浮世絵を買ったのかも気になるね。」

「蘭学や国学では，杉田玄白や本居宣長と
いう人物が活やくしたようだけれど，どの
ようなことをしたのか，くわしく調べようよ。」

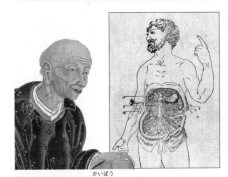

↑⑥杉田玄白と解剖図（右）

学習問題

江戸時代の後半には，どのような
新しい文化や学問が生まれ，
社会にどのように広がったのでしょうか。

↑→⑦本居宣長と
「古事記伝」（上）

世紀　時代
縄文
弥生
3
4
古墳
5
6
7　飛鳥
8　奈良
9
10　平安
11
12
13　鎌倉
14
15　室町
16　安土桃山
17
18　江戸
19
20　明治
　　大正
　　昭和
　　平成
21　令和

91

現在まで受けつがれている文化には，どのようなものがあるのかな。

「曽根崎心中」	1703年
「冥途の飛脚」	1711年
「国性爺合戦」	1715年
「心中天網島」	1720年

←2 近松門左衛門と主な作品　脚本家にあこがれていた近松は，武士の身分を捨てて芝居の世界に飛びこみ，大活やくをしました。

↑1 歌舞伎を楽しむ人々　江戸の芝居小屋の光景です。多くの観客でにぎわい，自由に楽しんでいる様子が伝わってきます。

調べる

歌舞伎や浮世絵は，人々の間で，どのように親しまれていったのでしょうか。

↑3 人形浄瑠璃　浄瑠璃に合わせて人形をあやつる芸能で，歌舞伎とともに多くの人々に愛され，現在も続いています。

人々が歌舞伎や浮世絵を楽しむ　江戸時代の中ごろから江戸，大阪，京都や各地の城下町の芝居小屋は，いつも大勢の人でにぎわっており，芝居見物は，人々にとって大きな楽しみでした。

　人々の人気を集めた歌舞伎や人形浄瑠璃の作者である近松門左衛門は，歴史上の物語や実際に起きた事件を題材にして，変化に富んだ約150編の脚本を書きました。近松の作品は，力をつけてきた町人のいきいきとしたすがたや義理人情をえがき，人々に親しまれました。現在でも名作として，さまざまな舞台で上演されています。

5

10

文化

歌舞伎の広がり

　歌舞伎は，地方にもさまざまな形で広まり，今でも演じられているところがあります。（左：長野県大鹿村の大鹿歌舞伎，右：香川県琴平町の旧金毘羅大芝居）

←④歌川広重の「東海道五十三次」 京都の三条大橋(おおはし)の風景です。広重の作品は，旅にあこがれる人々の心をとらえました。

→⑤歌川広重

①画家が下絵をえがく。　②職人が絵を裏返して色の数だけ何枚も版木にほる。　③順に使う色を重ねながら刷る。

←⑥浮世絵ができるまで　印刷によって，たくさんつくることができるようになり，値段(ねだん)が安くなったことで多くの人々の間に広まりました。

　当時の世の中や人々の様子を多色刷りでえがいた**浮世絵**も，人々の楽しみの一つでした。浮世絵は，版画として大量に刷られたので安く売られ，多くの人々に買い求められました。

5　江戸の下級武士の家に生まれた歌川広重(うたがわひろしげ)は，子どものころから絵の勉強をし，人気の浮世絵師になりました。東海道(とうかいどう)の名所風景をえがいた「東海道五十三次(とうかいどうごじゅうさんつぎ)」は，大量に印刷されました。江戸からふるさとへのみやげとしても買い求められ，多

10　くの人々の手にわたるようになりました。

　名所風景がえがかれた浮世絵が流行した背景(はいけい)として，このころ力をつけた町人や百姓(ひゃくしょう)たちが観光をかねてお寺や神社へお参りの旅に行けるようになったこともあげられます。広重らの浮世絵は，

15　やがて海外の人々にも鑑賞(かんしょう)されるようになり，世界の絵画にも大きなえいきょうをあたえました。

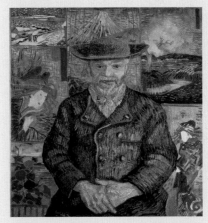
ことば

浮世絵　美しい多色刷りの技術が，浮世絵の人気を高めました。広重などの絵師のほか，色ごとに分けるための下絵をかく人，版木(はんぎ)をほる人，重ね刷りをする人など，多くの人々の仕事によってつくられます。

↑①杉田玄白　　↑②前野良沢

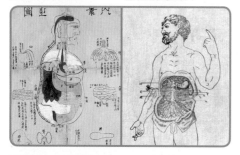

↑③二つの解剖図　左はこの当時使われていた中国から伝わった医学書で，右は「解体新書」の解剖図です。

医学を支えた人々

　玄白があらわした「蘭学事始」という本には，「解体新書」をほん訳した苦心と，人体の解剖を初めて見たときの感動が記されています。

　玄白は，解剖を見学したとき，見比べていたオランダ語の解剖図が正確にえがかれているのにおどろいた，と書き残しています。

　また，このとき解剖をして内臓の説明をした人は，身分制度のもとで百姓や町人とは別に厳しく差別されてきた人でした。このような人が，すぐれた解剖の技術を生かして，このころの医学を支えていました。

新しい学問・蘭学　鎖国を続けていた日本で，ヨーロッパの新しい知識や技術を学ぶことは，とても難しいことでした。しかし，江戸時代の中ごろになると，洋書の輸入ができるようになり，西洋の学問（**蘭学**）を学ぶ人々が増えました。　5

　小浜藩（福井県）の医者杉田玄白や中津藩（大分県）の医者前野良沢らは，満足な辞典がないなか，オランダ語の医学書を苦心してほん訳しました。中国の書物にもない医学用語のほん訳に苦労し，4年の間に11回も書き改めるほどでした。　10

　これを「解体新書」と名づけて出版すると，蘭学に対する関心は，いっそう高まり，オランダ語の入門書や辞典もつくられるようになりました。

↖④解剖の様子（想像図）

①まさに，このオランダの医学書の通りだ。

そうだ，わたしたちで，ほん訳してみよう。

②辞書はないし，オランダ語がまるでわかりませんね。

目なのか，ほかのことなのか……

③まる1日かけても1行もほん訳できなかった……

④そうか，まゆは，目の上にはえている毛という意味か。

苦心の末に少しわかるようになった。

↑⑤ほん訳の苦労

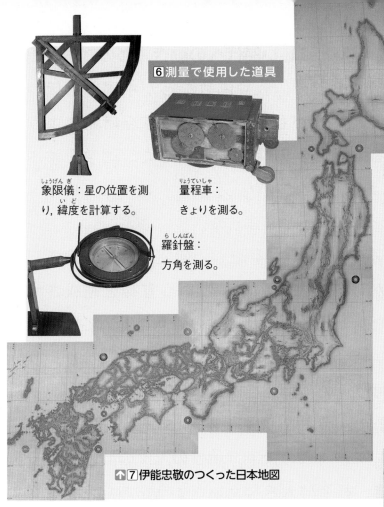

⑥測量で使用した道具

象限儀：星の位置を測り，緯度を計算する。

量程車：きょりを測る。

羅針盤：方角を測る。

↑⑦伊能忠敬のつくった日本地図

↑⑧伊能忠敬

伊能忠敬と日本地図

佐原（現在の千葉県香取市）の名主で商業を営んでいた伊能忠敬は，50才で家業を長男にゆずり，江戸で天文学や測量術を学びました。その後，幕府の許可を得て，江戸から奥州街道を経て現在の青森県にいたる道と北海道の海岸を自費で測量しました。

その技術におどろいた幕府は，全国の測量を幕府の事業とすることとし，忠敬にこれを命じました。忠敬は72才までの間に全国を測量し，74才でなくなりましたが，地図の作成は友人や弟子たちに引きつがれ，1821年に完成しました。

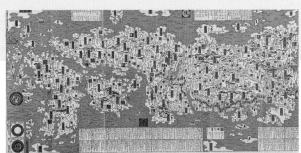

↑⑨忠敬より約130年前の日本地図

↑⑩測量の様子

医学のほかにもヨーロッパの地理学や天文学，兵学などの新しい知識や技術を日本に役立てようとする人々が現れました。そうした人々の中から，世界に目を向けて，
5 政治や社会がこのままではいけないと考える人々も出てきました。

また，このころロシアやイギリス，アメリカの船が日本のすぐそばに現れるようになり，この動きを警戒した幕府は，外国船
10 を打ちはらうように命じました。蘭学を学んだ人たちの中には，こうした幕府の動きを批判したために厳しくばっせられた人もいました。

> **ことば**
>
> **蘭学** ヨーロッパの新しい知識や技術は，オランダを通じて日本に伝わり，蘭学とよばれました。蘭学は，日本の各分野の発展にとても役立ちましたが，幕府の政治を批判するようなものは厳しく禁じられました。

国学は，どのような学問なのでしょうか。また，新しい時代への動きは，どのようなものだったのでしょうか。

↑①本居宣長の旧宅（三重県松阪市） 伊勢（三重県）松阪の医者でもあった宣長は，ここで「古事記伝」を完成させました。

宣長が藩主に出した意見書

近ごろは，一揆や打ちこわしがほうぼうで起こっています。昔は，めったにありませんでした。こうなったのは，人々が悪いからではなく，政治をする人が，正しくないことをおし通そうとするからです。
（一部）

↑②本居宣長

ことば

国学 国学とは，古くからの日本人の考え方を知ろうとする学問で，人々の間に広まるにつれ，天皇を尊いものとし，政治の現状を批判する人たちも現れました。この動きは，幕末の政治に大きなえいきょうをあたえました。

国学の発展と新しい時代への動き

このころ，蘭学だけでなく，仏教や儒教などが中国から伝わる前の日本人がもっていた考え方を研究しようとする学問（**国学**）も広がりました。国学を学ぶ人々は，「古事記」や「万葉集」の中に，日本人 5 の心をさぐろうとしました。

本居宣長は，「古事記」の研究に全力を注ぎ，35年かけて「古事記伝」という書物を完成させました。また，宣長は国学の研究を進めていくうちに，社会や政治にも目を向けるようになり，政 10 治を行う人の心構えを説きました。

宣長のように日本古来の考え方を大切にする国学は，江戸時代の後半，地方の人々の間に広がっていき，社会に大きなえいきょうをあたえるようになりました。 15

江戸時代の寺子屋と日本人の識字率

江戸や大阪などの都市の文化は，地方にも広がりました。教育への関心も高まり，町や村にも多くの寺子屋とよばれる教育機関ができました。

町人や百姓の子どもたちも，読み書きやそろばんなど，生活に必要な知識を広く学ぶようになりました。

江戸時代の日本は，文字が読める人の割合が高い国でした。

←③寺子屋 先生は，武士の浪人や神主，僧などでした。18世紀中ごろの江戸には，800か所もあったといわれています。

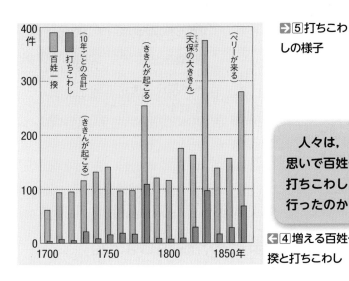

→⑤打ちこわしの様子

400件

（10年ごとの合計）
百姓一揆
打ちこわし

（ききんが起こる）

（ききんが起こる）

（天保の大ききん）

（ペリーが来る）

300

200

100

0

1700　　1750　　1800　　1850年

←④増える百姓一揆と打ちこわし

人々は，どのような思いで百姓一揆や打ちこわしを行ったのかな。

江戸時代の後半になると，大きなききんが何度か起こり，物価も大きく上がったので，百姓一揆や打ちこわしが全国各地で起こるようになりました。このような動きを見た人々は，幕府や藩に社会の問題を解決する力がなくなってきていることに気づくようになりました。

新しい学問を学ぶ人や武士の中からも，幕府や藩を批判する人たちが現れてきました。

人々は，新しい政治について考えるようになり，長州藩（山口県）や薩摩藩（鹿児島県）などでは，藩の政治を改革する動きが出てきました。

百姓一揆・打ちこわし

ききんなどの社会不安や物価の上昇で生活が苦しくなり，百姓や町人などは，一揆や打ちこわしを行いました。参加すれば，重いばつを受けましたが，幕府や藩の力が弱まると，件数は増えていきました。

役人を批判した大塩平八郎

武士の中にも，生活に苦しむ人々を心配する人がいました。天保の大ききんのとき，元大阪の役人だった大塩平八郎は，まちの人々を救おうとしない役人たちを批判し，大阪で反乱を起こしました。そして，大商人から米などを取り上げて，苦しんでいる人々に分けあたえようとしました。大塩が立ち上がると，考えに共感した大勢の人々が，この動きに加わりました。

↑⑥大塩平八郎

結局，この計画は失敗しますが，うわさは各地に広がり，あとをつごうとする人々も現れました。

↑⑦大塩平八郎が起こした反乱の様子

渋染一揆

岡山藩では，財政が苦しくなったので，節約するよう人々に命令しました。そのとき，百姓や町人とは別に身分上厳しく差別されてきた人たちには，渋や藍で染めた無地の木綿以外の着物はいけないとか，雨のときでも，かさをさしたり，げたをはいたりしてはいけないなど，差別を強める命令を出しました。百姓身分と同じように年貢を納めているのに，あまりにもひどい差別だと，かれらは立ち上がりました。これを渋染一揆といいます。53か村というたくさんの村から，代表として千数百人もの人たちが藩の役所におしかけ，牢に入れられた人々も出ましたが，とうとう，この命令を実行させませんでした。

まとめる

学習問題について調べてきたことを整理し，キャッチフレーズをつくって発表しましょう。

学習問題を確認しよう。

学習問題

江戸時代の後半には，どのような新しい文化や学問が生まれ，社会にどのように広がったのでしょうか。

まとめの活動にことばを生かそう。

ことば

- 歌舞伎
- 浮世絵
- 蘭学
- 国学

①下の人物がどのようなことをしたか，それぞれまとめ，説明しよう。

●近松門左衛門
（ちかまつもんざえもん）

●杉田玄白
（すぎたげんぱく）

●本居宣長
（もとおりのりなが）

ほかの人物についても，同じようにまとめてみよう。

②歌舞伎，浮世絵，蘭学，国学について，特色を表すキャッチフレーズをつくり，みんなで発表しよう。

【歌舞伎のキャッチフレーズ】
● 町人（ちょうにん）の気持ちをつかんだ一大娯楽（いちだいごらく）

【浮世絵のキャッチフレーズ】
●

【蘭学のキャッチフレーズ】
● 西洋の知識や技術に日本がめざめる

【国学のキャッチフレーズ】
●

新しい文化や学問によって，人々のくらしや考え方はどのように変わったのかな。

江戸時代の武士の学校

日新館　〜福島県会津若松市〜

寺子屋について学習したりくさんは，会津若松市に，江戸時代に藩校とよばれた学校があったことを知り，みんなで調べて発表することにしました。

0 500km

会津若松

↑**1日新館南門**　現在の建物は復元されたものです。

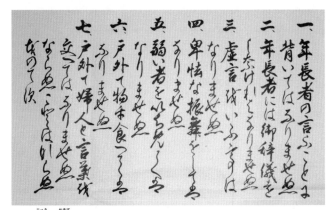

↑**2什の掟**　日新館への入学前に，武士としての心構えを学ぶときの規則で，うそを言ったり，弱い者いじめをしたりしてはいけないなど，守らなければいけない七つの項目を示しています。

一、年長者の言ふことを背いてはなりませぬ

二、年長者には御辞儀をしなければなりませぬ

三、虚言を言ふ事はなりませぬ

四、卑怯な振舞をしてはなりませぬ

五、弱い者をいぢめてはなりませぬ

六、戸外で物を食べてはなりませぬ

七、戸外で婦人と言葉を交へてはなりませぬ

ならぬことはならぬものです次に

会津若松市にある藩校について調べました。

藩校は，各藩の武士の子どもが通う学校です。江戸時代の後半に多く建てられ，日本全国に260以上の藩校がありました。優秀な生徒は江戸などへの留学も許されたそうです。

会津藩の藩校・日新館は，水練場（プール）や天文台もある大きな学校でした。一定の身分以上の武士の子は，10才になると日新館に入学することになっており，文武両道の考え方のもとで，学問や武芸を学びました。学問は，中国で始まった儒学を中心に行われ，進級のための試験もありました。また，弓，馬，やり，刀，柔術，砲術（鉄砲）のうちのどれか一つに合格しないと修了できないという決まりもありました。

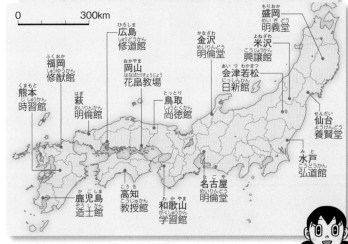

0 300km

盛岡 明義堂

広島 修道館

福岡 修猷館

熊本 時習館

萩 明倫館

岡山 花畠教場

鳥取 尚徳館

金沢 明倫堂

米沢 興譲館

会津若松 日新館

仙台 養賢堂

鹿児島 造士館

高知 教授館

和歌山 学習館

名古屋 明倫堂

水戸 弘道館

↑**3各地の主な藩校**

地図にある主な藩校以外にも各地に藩校がありました。また，藩校以外の私塾，寺子屋など，江戸時代の教育施設の跡を探してみましょう。

日本遺産を調べよう〜鎌倉〜

りくさんたちは，神奈川県鎌倉市が「『いざ，鎌倉』〜歴史と文化が描くモザイク画のまちへ〜」として日本遺産に認定されていることを知り，鎌倉について調べることにしました。

↑1 鎌倉 人口約17万人の鎌倉市に，年間2000万人をこえる観光客がおとずれます。

日本遺産とは

日本遺産とは，国（文化庁）が 2015（平成27）年から始めた新しい文化財の活用制度で，地域の歴史的魅力や特色を通じて，日本の文化・伝統を語るストーリー（物語）を日本遺産として認めるものです。

りくさんのレポート「鎌倉時代」

「鎌倉」は，源頼朝によって「幕府」が開かれた場所です。由比ヶ浜から若宮大路を中心にまちづくりが進み，鶴岡八幡宮が現在の場所に移され，自然豊かな山すそには多くの寺が建てられました。有名な「やぶさめ」は，生き物を大切にする行事（神事）として始まったといわれています。

↑2 やぐら群

山に向かった道筋には，「七切通し」とよばれる，ほかの地域と結ばれるはばのせまい山道がつくられました。「切通し」や山腹には，「やぐら群」とよばれる武士や僧の墓や，供養の場としてつくられた場所もあります。

↑3 やぶさめ 走っている馬の上から，三つの的に向かって矢を射ます。

↓4 若宮大路 由比ヶ浜から鶴岡八幡宮へと続く参道で，約1800mの長さがあります。

←5 建長寺 鎌倉の代表的な禅宗の五つの寺の中で，最も格式が高い寺です。

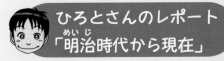

ゆうなさんのレポート「室町時代から江戸時代」

室町時代の鎌倉は，関東とそのまわりを支配する重要な役割をもっていました。しかし，戦国の世になるとまちはおとろえ，一漁村となってしまいました。

江戸時代になると，徳川家康が鎌倉を「武家政権が始まった地」として寺や神社の保護に力を入れました。その後，ガイドブックが発行されるなど，人々に知られる場所となった鎌倉は，寺や神社へのお参りと，江の島などの景色のよい場所への観光とが結びつくことで，にぎわいを見せるようになりました。

ひろとさんのレポート「明治時代から現在」

明治時代になると，鉄道（横須賀線）が開通して東京と結ばれ，それをきっかけに政治家や実業家の別荘も多く建てられ，洋風の近代的な建物も見られるようになりました。

さらに，明治から昭和の初めにかけて，別荘地としての鎌倉の名が広がるとともに，「鎌倉文士」とよばれる有名な作家が多く住むようになりました。多くの名作が鎌倉で書かれるとともに，「ぼんぼり祭」のように現在まで続くお祭りが発案されました。

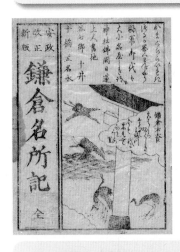

◀⑥「鎌倉名所記」 江戸時代の代表的なガイドブックで，表紙には鶴岡八幡宮の鳥居がえがかれています。

◀⑦古我邸 約100年前，実業家の別荘として建てられました。現在は，レストランとして活用されています。

↑⑧ぼんぼり祭 毎年8月に行われる夏祭りで，鶴岡八幡宮の参道に，約400のぼんぼりが点灯します。

めいさんのまとめ「モザイク画のまち鎌倉」

「鎌倉市」には，豊かな自然の中に長い歴史をもつ寺や神社が数多くあります。こうした寺社に加え，明治時代から昭和時代初期の建築物や作家が残した文化，「鎌倉彫」に代表される伝統産業，「けんちん汁」の語源とされる「建長寺汁」などの食文化などが，モザイク画のように組み合わされた「だれもが，旅してみたいまち『鎌倉』」として「日本遺産」のまちとなりました。

やってみよう

鎌倉以外にも，全国には83の日本遺産があります（2019年現在）。自分が関心をもった日本遺産について調べてみましょう。

↑①高麗家住宅(埼玉県日高市, 重要文化財)
江戸時代には寺子屋としても使われました。

↑②江戸時代末ごろの寺子屋の様子

↑③江戸時代末ごろの日本橋近くの様子(江戸, 1860年ごろ)

9 明治の国づくりを進めた人々

つかむ

江戸から明治への変化について話し合い, 学習問題をつくりましょう。

明治時代を通して, 洋風のドレスを着る人が増えました。

江戸から明治へ こうたさんたちは, 江戸から明治への変化を示す資料を見ながら, みんなで話し合いました。

「左上の絵②は, 江戸時代末ごろの寺子屋の様子で, ⑥は, 明治時代初めの小学校の様子です。学ぶ様子が, まったくちがうね。」

「明治時代の小学校の先生は, 洋服を着て, 頭の毛も短く切っています。」

「明治時代になると, まちの様子が現在に少し近づいているね。馬車が走ったり, ガス灯ができたりしています。」

世紀	時代
	縄文
	弥生
3	
4	古墳
5	
6	
7	飛鳥
8	奈良
9	
10	平安
11	
12	
13	鎌倉
14	
15	室町
16	安土桃山
17	
18	江戸
19	
20	明治 大正 昭和
21	平成 令和

↑⑤旧開智学校（長野県松本市）　1876年に建てられました。国宝

↑④明治時代初めの日本橋近くの様子（東京，1880年ごろ）

↑⑥明治時代初めの小学校の様子

「学校やまちの様子だけでなく，ほかにも変わったものが，きっとあると思うな。」

　このころ，わずか20〜30年くらいの間に，政治や外国との関係，まちの様子など，社会全体に
5　大きな変化がありました。こうした大きな変化を明治維新とよんでいます。

「このような大きな変化に，どのような人々が，かかわったのかな。」

「もしかしたら，外国の文化や制度を取り
10　入れたのかもしれないよ。」

資料を比べて，変わったことを見つけよう。

学習問題

　明治維新では，だれが，どのように，世の中のしくみを整えていったのでしょうか。

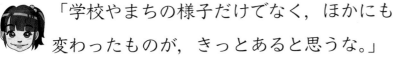

年	主なできごと
1869（明治２）	パンがつくられる
	公衆電報が始まる（東京・横浜間）
1870	人力車の営業開始
	日刊新聞の発行
1871	郵便ポストが設置される
1872	鉄道が開通する（新橋・横浜間）
	ガス灯がつく（横浜）
	太陽暦を取り入れる
1873	野球がしょうかいされる
1877	東京の銀座にれんが街が完成する

↑⑦明治事始め年表

ペリーの来航で，社会はどのように変わっていったのかな。

↑②ペリー

↑①ペリーの上陸（横浜） 沖に見える軍艦で2度目の来航を果たしたペリーは，500人の兵とともに上陸し，条約についての話し合いを行いました。日本への航海の途中，ペリーは琉球にも立ち寄りました。

→③当時の日本人がえがいたペリーの肖像画

調べる

明治維新を進めた人々は，どのような思いをもっていたのでしょうか。

→④大久保利通（1830〜1878年，薩摩出身） 西郷隆盛とともに倒幕運動の中心となりました。明治政府の指導者として，近代日本の方向を定めました。

←⑤西郷隆盛（1827〜1877年，薩摩出身） 長州藩と同盟を結び，倒幕運動で大きな役割を果たしました。明治政府の指導者になりましたが，後に辞任して薩摩に帰りました。

→⑥木戸孝允（1833〜1877年，長州出身） 倒幕運動の中心となり，明治政府の指導者になりました。五箇条の御誓文を作成したことでも有名です。

若い武士たちが幕府をたおす 1853年，アメリカ合衆国の使者・ペリーが来航しました。ペリーは4せきの軍艦を率いて浦賀（神奈川県）に現れ，大統領の手紙を幕府にわたして開国を求めました。ペリーの強い態度と軍艦や大砲の大きさにおどろ　5
いた幕府は，翌1854年，日米和親条約を結んで国交を開き，鎖国の状態が終わりました。

1858年には，アメリカとの間に日米修好通商条約を結び，さらに多くの国々とも条約を結んで外国との貿易が始まりました。外国との貿易が始　10
まると，日本国内の物価が急に上がって町人や下級武士の生活は苦しくなり，人々の不満が高まりました。貿易に反対した長州藩や薩摩藩は，外国と戦いましたが，力の差は大きいものでした。

↑7 長州藩の砲台を占領したイギリスなど外国の軍隊

長州藩の木戸孝允や薩摩藩の大久保利通, 西郷隆盛らは, 外国との力の差を実感し, 強い国づくりを進めるため, 新しい政府をつくる運動を始めました。このような動きにおされた15代将軍の

5 徳川慶喜は, 政権を朝廷に返し (1867年), 260年余り続いた江戸幕府は, 終わりを告げました。

その後, 明治新政府軍と旧江戸幕府軍の間に戦いが起きましたが, 新政府軍が勝利を収めました。新政府は, 1868年に明治天皇の名で政治の方針

10 (五箇条の御誓文) を定め, 新しい時代が始まりました。

― 政治のことは, 会議を開き, みんなの意見を聞いて決めよう。
― みんなが心を合わせ, 国の政策を行おう。
― みんなの志がかなえられるようにしよう。
― これまでのよくないしきたりを改めよう。
― 新しい知識を世界に学び, 国を栄えさせよう。

↑8 五箇条の御誓文の内容とその発表の様子 (上) (明治神宮聖徳記念絵画館蔵)

↑9 西郷隆盛 (左) と勝海舟　幕府の役人だった勝海舟は, 戦いを早期に終わらせ, 江戸のまちを戦火から守るために, 西郷と江戸城の開城について話し合いました。(明治神宮聖徳記念絵画館蔵)

坂本龍馬と薩長同盟

坂本龍馬は, 勝海舟をしたい, 長崎に海運・貿易を行う海援隊をつくりました。犬猿の仲といわれた薩摩藩と長州藩の同盟をうながしたほか, 京に向かう船上で考えた「船中八策」は, 五箇条の御誓文にえいきょうをあたえたといわれています。

➡10 坂本龍馬 (1835 ~ 1867年, 土佐出身)

ことば

開国　開国には強い反対が起こりました。反対派の一部は, 外国の強大な力を実感すると, 開国に反対するよりも外国に対抗できる国づくりを第一に考えるようになり, 倒幕へと方針を変えていきました。

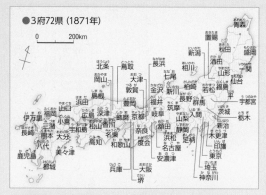

●国の区分けを変える（廃藩置県）

　政府は，江戸時代の大名の領地である藩と領民を天皇に返させ（版籍奉還），全国を府と県に分けました。1871年末に3府72県となり，府には府知事，県には県令を派遣して治めさせました。これによって政府の権力が強まり，国の体制が整っていきました。琉球は，1879年に沖縄県になり，北海道は，開拓使が治めていましたが，1886年に北海道庁が置かれました。

↑②官営富岡製糸場（群馬県）国宝 世界遺産

●工業をさかんにする（殖産興業）

　政府は，模範的な製糸場をつくる方針を定めて，フランス人の技師を招きました。富岡製糸場は，1872年に完成し，全国各地で女子の労働者を募集しました。糸繰りの機械300台が設置された，とても大きな工場で，働いていた女性の日記には次のように記されています。

　「富岡製糸場の門の前に来たときは，夢かと思うほどおどろきました。生まれてかられんがづくりの建物など，錦絵で見ただけで，それを目の前に見るのですから，無理もないことです。」

調べる

　欧米に学んだ大久保利通は，どのような国づくりをめざして取り組んでいったのでしょうか。

↑③使節団の出発　1871年，日本の使節団がアメリカとヨーロッパに出発しました。欧米の国々のすぐれた点を学び，日本の国づくりに取り入れるという目的がありました。（明治神宮聖徳記念絵画館蔵）

大久保利通と明治新政府の改革

　政府は，政治の方針が日本中に広まるようにするために，これまで各地に置かれていた藩を1871年に廃止し，新たに県や府を置き，政府が任命した役人に治めさせました（廃藩置県）。

　政府の中心となった大久保利通や木戸孝允らは，ヨーロッパの国々に追いつくために，工業をさかんにし，強い軍隊をもつこと（**富国強兵**）に力を入れました。大久保らは，1871年に使節団として欧米の国々の視察に出発し，約2年間，近代的な政治制度や工業などについて調べました。

　帰国した大久保らは，近代的な工業（機械による大量生産）を始めるために，外国から機械を買い，技師を招き，製糸，紡績，兵器製造などで，

5

10

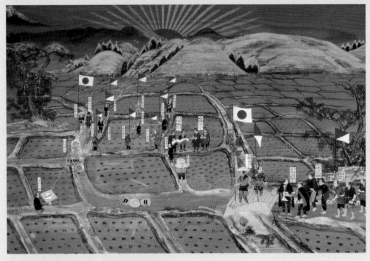

↑④戦いに向かう政府軍

● 強い軍隊をつくる（徴兵令）

「昔は，身分の区別もなく，全員が兵士になったが，武士の世の中になると，兵士は武士だけになった。

明治の世をむかえ，平等の世の中になったのだから，上下の区別をなくして同じ国民として，力をつくして国を守らなければならない。全国の20才になった男子は，いざというときに備えて皆兵役につかないといけない。」

（徴兵令に関する告示文をやさしくしたもの）

↑⑤地租改正のための測量の様子

● 国の収入を安定させる（地租改正）

国の収入を安定させるため，これまでは収穫高に応じて米で納めることになっていた税は，それぞれの土地の価格の3％を現金で納めることになりました。税の重さは，江戸時代と変わらず，不作でも同じ額の税を納めるため，重い負担に苦しむ農民の一揆が各地で発生しました。

国が運営する官営工場を開きました（殖産興業）。

また，武士にかわり，訓練された近代的な軍隊をもつために，徴兵令を出し，20才になった男子には，3年間軍隊に入ることを義務づけました。

5　さらに，国の収入を安定させるために，土地に対する税のしくみも改めました（地租改正）。

こうした改革が進む一方で，新しい負担に苦しむ民衆の一揆も起こりました。

強い国づくりのための改革は，どのようなものだったのかな。

↓⑥こうたさんのまとめ

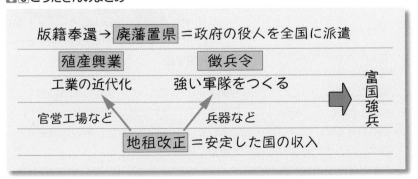

版籍奉還→廃藩置県＝政府の役人を全国に派遣

殖産興業　　徴兵令

工業の近代化　　強い軍隊をつくる　　→富国強兵

官営工場など　　兵器など

地租改正＝安定した国の収入

ことば

富国強兵　欧米諸国に追いつくためにも，経済力と軍事力の強化に重点を置いた政治が行われました。社会は共通の目標に向かって進む一方で，急速な改革による不満も起こりました。

↑① 「学問のすゝめ」

福沢諭吉が書いた「学問のすゝめ」全17編は，340万部以上売れたといわれています。「天は人の上に人を造らず人の下に人を造らずと言えり」で始まるこの本には，人間は生まれながらにして平等であること，一国の独立は個人の独立にもとづくこと，個人の独立には，学問が必要なことなどが記されています。明治の新しい時代にふさわしいと思われる人間の生き方が書かれたこの本を，当時の知識人を中心とした人々は競って読みました。

↑② 福沢諭吉

明治時代には，どのような考え方が新しく生まれたのかな。

調べる

明治時代になって，人々の生活は，どのように変わっていったのでしょうか。

新しい世の中の文化や生活

明治時代になると，人々の間に西洋の考え方がしょうかいされるようになり，西洋の制度や技術も導入されるようになりました。西洋風のものは何でもよいとされ，文明開化としてもてはやされました。

また，新しい時代の学問を学び，それにふさわしい生き方や考え方に興味をもつ人も多くなって

5

ことば

文明開化 欧米に追いつこうという意識は，生活や文化の面にも強くおよびました。都市部を中心に急激な変化が起こりましたが，あんパンのように日本と西洋のものをうまく組み合わせる例も見られました。一方で，日本の文化を軽く見る風潮も生まれました。

本当の平等を求めて

身分制度が改められた後も，天皇の一族は皇族，公家や大名は華族，武士は士族，そのほかは平民という新しい形で身分のちがいは残されました。

また，長い間差別に苦しめられてきた人々に対して，政府は差別をなくすための政策や生活の改善を行いませんでした。そのため，

↑③ 身分のちがいがなくなったことを示す絵

望んだ仕事につくことや教育を受けることは難しく，苦しい生活の中で結婚や就職，住む場所など，日常生活でのさまざまな差別が新しい形で残されました。こうした状況に対して，これらの人々は，解放の法令を機に，自らの力で差別をなくす運動を進めていきました。

→ ④鉄道の開通　1872年，新橋・横浜間に鉄道が開通しました。その後，神戸・大阪間，大阪・京都間，小樽・札幌間なども開通しました。

↓ ⑤郵便制度の始まり

　1871年に東京・大阪間で始まりました。翌年からは，日本全国に郵便がとどくようになりました。

← ⑥電信の始まり　1854年にペリーが電信機を日本に持参し，1869年には東京・横浜間で公衆電報が始まりました。

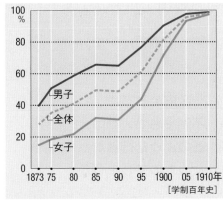

↑ ⑦学制公布後の就学率の変化　ほとんどの子どもたちが学校に通うまでには，学制公布から約30年かかりました。

いきました。江戸時代の身分制度は改められ，すべての国民は平等であるとされ，職業や住む場所が自由に選べるようになりました。身分制度のもとで苦しめられてきた人々も，1871年の法令によって，身分上は解放されました。

5　政府が1872年に公布した学制によって，6才以上の男女が小学校に通うことが定められました。また，政府は，西洋の学問や政治のしくみを学ばせるため，多くの留学生を海外へ派遣しました。

10　このころ，電報や郵便の制度が整い，新橋・横浜間には鉄道も開通して，人々のくらしに変化がおとずれました。東京，大阪，横浜などの都市や貿易港のまちなどでは，ガス灯がともり，洋服を着る人々や牛肉を食べる人々が増えてきました。

日本初の女子留学生　津田梅子

使節団とともにアメリカに渡った留学生の一人に，当時満6才の津田梅子がいました。

↑ ⑧津田梅子　梅子は，11年にもおよぶ留学生活からいったん帰国した後に，再びアメリカに留学しました。このときに梅子は，自分の一生を日本の新しい女子教育にささげることを決意し，のちに女子英学塾（現在の津田塾大学）をつくりました。

↑① 西南戦争 徴兵令によって集められ, 進んだ武器を持った政府軍に, 士族からなる西郷軍は, 敗れました。

調べる

政府の改革に
不満をもつ人々は,
どのような行動を
とったのでしょうか。

→② 板垣退助 政府を去った板垣は「今の政府は, 薩摩藩と長州藩の一部の者によって動かされている。広く国民の意見を聞いて政治にいかすように, 議会（国会）を開くべきだ。」と主張しました。

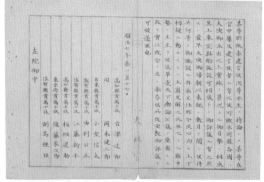

↑③ 板垣らが出した国会開設の要望書

板垣退助と自由民権運動 政府による改革が進む中で, 多くの士族は, 武士として得ていた収入を失い, 生活に困るようになりました。さまざまな負担により, 民衆の生活もなかなか楽にはなりませんでした。

このため, 西郷隆盛を中心とする西南戦争など, 生活に不満をもつ士族による反乱が各地で起こりましたが, すべて政府の軍隊によってしずめられました。そして, これ以降武力による反乱はなくなり, 言論で主張する世の中へと変わっていきました。

政府の指導者だった板垣退助らは, 国会を開くことを主張し, 人々の間にも政治参加を求める声が出てきました。国会を開き, 憲法をつくることなどを求める動きは, **自由民権運動**として各地に広がっていきました。

国会開設を望む人々の願いは，どのように広がっていったのかな。

国会開設を要望する
署名に参加した人数
＊1874〜1881年
＊道府県別

👤 5000人以下
👤 5001〜10000人
👤 10001人以上

0　　200km

↑⑤国会開設を望む声

↑④演説の中止を求める警察官　自由民権運動の盛り上がりに対して，政府は，さまざまな形で言論をおさえつけようとしました。

　やがて国会開設を求める声が高まると，政府はさまざまな条例（法律）を定めて，演説会や新聞などを厳しく取りしまるようになりました。
　しかし，人々の声の高まりを無視することはできず，1881年，ついに政府は，1890年に国会を開くことを約束しました。

明治維新と北海道・沖縄

　明治政府は，蝦夷地を北海道と改め，役所を置いて開発を進めました。アイヌの人々は，土地や漁場をしだいに失っていき，日本語や日本式の名前を名のることなどをしいられました。こうした中で，生活が苦しくなっていったアイヌの人々への差別も強まっていくようになりました。
　また，政府は，琉球が日本の領土だと主張して琉球藩を置き，琉球国王を藩王としました。そして，1879年に中国（清）や琉球の人々の反対をおさえ，沖縄県を設置しました。国王は，東京に移住させられ，琉球王国はほろびました。

自由民権運動の広がりと秩父事件

　西南戦争以降，まゆや米などの農産物価格が下がり，農村では，農民たちが苦しい生活をしいられました。1884年，埼玉県の秩父地方の農民3000人余りが，「借金のしはらいを延期すること，村にはらう税金を安くすること」などを求めて，役所や高利貸しをおそい，今の秩父市を占領しました。
　事件に加わった人の中には，自由民権の考え方をもっている人もいました。人々は「自由自治元年」を唱え，自分たちで自由に治める理想をかかげました。この事件は，政府の軍隊によってしずめられましたが，自由民権の考えが，各地に広がっていたことを示しています。

ことば

自由民権運動　明治維新の改革は，すべて政府を中心に行われ，国民は，政府の方針に従うものとされていました。人々は，社会に起きたいろいろな問題を解決するために自分たちも政治に参加することを要求し，それが大きな運動へと発展していきました。

憲法の主な内容（要約）

第1条　日本は，永久に続く同じ家系の天皇が治める。

第3条　天皇は神のように尊いものである。

第4条　天皇は，国の元首であり，国や国民を治める権限をもつ。

第5条　天皇は，議会の協力で法律をつくる。

第11条　天皇が陸海軍を統率する。

第29条　国民は，法律の範囲の中で，言論，出版，集会，結社の自由をもつ。

↑①大日本帝国憲法の発布　天皇が総理大臣に手わたしています。

調べる

伊藤博文は，どのような思いをもって大日本帝国憲法をつくったのでしょうか。

↑②自由民権派がつくった憲法草案（五日市憲法）の記念碑（東京都あきる野市）　地域の若者が学習会を開いてまとめた五日市憲法は，全204条のうち150条で基本的人権についてふれたものでした。

伊藤博文と国会開設，大日本帝国憲法

板垣退助や大隈重信は，国会が開設されるに先立って，自由党や立憲改進党といった政党をつくり，国民の意見を反映した政治を行う準備を始めました。また，日本各地でさまざまな立場の人々が憲法の案をつくりました。その中には，国民の権利に重点を置いた案もありました。

一方，政府の中心的な人物であった伊藤博文は，皇帝の権力が強いドイツの憲法を学んで帰国しました。伊藤は，まず行政を担当する内閣制度をつくり，明治天皇から初代の内閣総理大臣に任じられると，憲法をつくる仕事に力を注ぎました。

1889年，天皇が国民にあたえるという形で，憲法（**大日本帝国憲法**）が発布されました。この

←③初めての選挙の様子 有権者の関心は非常に高く，90％以上の人が投票に行きました。

ことば

大日本帝国憲法 アジアの国々に先がけて憲法の発布と国会の開設がなされ，欧米諸国のような近代的な国の体制が整えられました。こうした動きは，江戸時代末に幕府が欧米諸国と結んだ不平等条約の改正にも役立ちました。

↑④議会の様子 衆議院での審議の様子です。

↑⑤大隈重信 1898年，板垣退助と日本で初めての政党内閣を組織しました。

憲法では，国を治める主権をもつのは天皇でした。また，軍隊を率いたり，条約を結んだりするのも，天皇の権限とされました。

国会は，貴族院と衆議院からなり，衆

5　議院議員だけが国民の選挙で選ばれました。選挙権をもつ者は一定の税金を納めた25オ以上の男子だけで，当時の国民の1.1％でした。1890年に初めての選挙が行われ，第1回の国会が開かれました。

10　北海道では10年後，沖縄では22年後に初めて選挙権があたえられました。

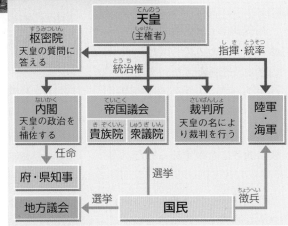

↑⑥大日本帝国憲法にもとづく国のしくみ 天皇を中心とした近代国家として出発しました。

やってみよう

今の日本のしくみと比べてみよう。天皇の権限や，内閣，裁判所，帝国議会（国会）などの働きには，どのようなちがいがあるかな。

まとめる

調べたことを年表で
ふり返り，学習問題に
ついて話し合いましょう。
最後に，自分の考えを
ノートにまとめましょう。

学習問題を確認しよう。

学習問題 ....

明治維新では，だれが，どのように，
世の中のしくみを整えていったのでしょうか。

こうたさんたちは，今まで調べたことを年表に整理して，明治維新で
どのようなことが行われたのかをふり返っています。

木戸孝允は，五箇条の御誓文の作成にかかわり，明治政府の政治の方針を示した。また，大久保利通と協力して版籍奉還や廃藩置県を行って国の体制を整えた。

福沢諭吉は，「学問のすゝめ」で多くの人の考え方にえいきょうをあたえた。文明開化によって，人々の生活や考え方が変わってきた。学制によって，6才以上の男女が学校に通うことが定められた。

西郷隆盛は，江戸のまちを戦火から守るために力をつくした後，明治政府の指導者となった。不満をもつ士族の中心となって西南戦争を起こしたが，敗れて自害した。

年	主なできごと
1854	日米和親条約
1858	日米修好通商条約
1867	幕府が政権を朝廷に返す
1868	五箇条の御誓文
1869	版籍奉還
	電信開始（東京・横浜間）
1871	郵便の制度
	廃藩置県
1872	学制公布
	鉄道開通（新橋・横浜間）
	富岡製糸場の生産開始
1873	徴兵令
	地租改正
1874	自由民権運動
	国会開設の要望書を提出
1877	西南戦争
1881	国会開設を約束
1889	大日本帝国憲法発布
1890	国会開設

大久保利通は，版籍奉還や廃藩置県を行い，政府の力を強めるようにした。また，政府が近代的な工業を育てるためにさまざまな努力をして強い国をつくろうとした。

板垣退助は，国会を開いて広く国民の意見を聞いて政治に生かすように主張し，自由民権運動の中心となって活やくした。

伊藤博文は，明治天皇から初代内閣総理大臣に任じられ，大日本帝国憲法作成の中心となった。

114

こうたさんたちは，明治維新で活やくした人々の業績<ruby>業績<rt>ぎょうせき</rt></ruby>をふり返り，学習問題についてのまとめをしています。明治維新では，国や社会のしくみがどのように変わったといえるでしょうか。

 開国をして日本と外国との力の差が大きいことがわかったため，いろいろな国のしくみを変えようとしました。

日本を豊かで強い国にするために，経済力<ruby>経済<rt>けいざい</rt></ruby>と軍事力を強くしようとしました。富国強兵<ruby>富国強兵<rt>ふ こくきょうへい</rt></ruby>という政策<ruby>政策<rt>せいさく</rt></ruby>でした。

 そのために，国の収入<ruby>収入<rt>しゅうにゅう</rt></ruby>を安定させる地租改正を行いました。

工業をさかんにしたり，徴兵令を定めたりしました。ヨーロッパなどから学んだことをいろいろと取り入れていました。

 学制という教育の制度ができて，人々の生活も西洋のえいきょうを受けるようになりました。

大日本帝国憲法をつくり，天皇中心の強い国づくりをめざしていたこともわかったね。国民も政治に参加するようになるなど，江戸時代と比べて大きく変わったね。

 これらの大きな変化は，木戸孝允や大久保利通をはじめとする多くの人々の働きによって行われました。

明治維新では，人々がどのような世の中をつくろうとしていたのか，自分の考えをまとめよう。

_____

_____

_____

まとめの活動に**ことば**を生かそう。

ことば

● 開国
● 富国強兵
● 文明開化
● 自由民権運動
● 大日本帝国憲法

La Sauvetage du Mengalek.

Combien avez vous de dollars sur vous ! — Dites vite. — Times is money.

↑①ノルマントン号事件を風刺したまんが

ノルマントン号事件と条約改正

　1886年のことです。和歌山県沖の海で，イギリスの貨物船ノルマントン号がちんぼつしました。このとき，西洋人の船員は，全員ボートでのがれて助かり，日本人の乗客は，全員船とともにしずんでなくなりました。イギリス人の船長は，日本人を救おうとしたが，ボートに乗ろうとしなかったなどと証言し，イギリスの領事裁判で，軽いばつを受けただけでした。日本人は，このような結果をもたらした不平等条約を改めることを強く求めました。

10 世界に歩み出した日本

つかむ

日本は江戸時代の終わりに結んだ条約によって，どのようなえいきょうを受けていたのか話し合い，学習問題をつくりましょう。

年	主なできごと
1886	ノルマントン号事件が起こる
1894	日清戦争（〜95）
1901	官営八幡製鉄所で生産が始まる
1904	日露戦争（〜05）
1910	韓国併合が行われる
1911	条約改正が達成される

↑②この時代の主なできごと

条約改正をめざして　ゆうなさんたちは，ノルマントン号事件が江戸時代の終わりに日本が欧米諸国と結んだ不平等条約（修好通商条約）と深いかかわりがあることを知りました。そこで，どのような不平等な問題があったのか，それを改正するためにどのようなことをしてきたのかについて，みんなで話し合いました。

「外国人が日本国内で罪をおかしても，日本の法律でさばくことができないなんて，ひどいことだね。」

「外国からの輸入品にかける税金を自由に決める権利も認められていませんでした。」

5

10

領事裁判権を認めていると・・・

日本国内で罪を
おかした外国人を，

日本の法律・裁
判所でさばくこと
ができない。✕

その外国人の国の
法律・裁判所（領事
館）でさばく。〇

ノルマントン号事件
のように，外国人が
おかした罪を，正し
くさばけないね。

関税自主権がないと・・・

安い外国製品の
関税を高くしたい
のですが。

わが国の輸出に
不利になるので
認められません。

国内の産業を，安い外国製品から守ろう
としても，思うようにできない。

↑**3** 領事裁判権と関税自主権

「外国から安い品物がたくさん日本に入っ
てきたら，日本でつくっている品物が売れ
なくなってしまうね。日本の綿織物の産地も，た
いへん困ったそうです。」

5　明治政府は，国の独立を守り，日本の産業を発
展させるために，使節を送るなどして何度も諸外
国との間で**条約改正**をめざして交渉を行いました。
しかし，日本の近代化のおくれなどを理由に，交
渉はなかなか進みませんでした。

学習問題

日本は，条約改正をめざして，
どのような努力をしたのでしょうか。また，
世界の中で，日本の立場や国民の生活には，
どのような変化が起こったのでしょうか。

↑**4** 鹿鳴館の舞踏会　欧米の文化を知り，日本が文明開化
（近代化）したことを欧米にうったえるための社交の場でした。

条約は，
どのような点が
不平等だったのかな。

ことば

条約改正　欧米諸国は，ほかの
国から多くの利益を得るために自
分たちに有利な条約を結ばせてい
ました。日本が条約改正に成功し，
欧米諸国と対等な関係を築けたの
は，明治の終わりのことでした。

エルトゥールル号の
そうなん者を救った串本の人々

　日本と同じく欧米諸国との不平等
条約に苦しむトルコは，1890年に
日本をおとずれました。親善の行事
を終えて帰国する途中，トルコの軍
艦エルトゥールル号は，和歌山県沖
の海で，ちんぼつしました。このと
き，大島（和歌山県串本町）の人々
は，そうなん者の救助や手当てなど
につくし，全国からも多くのお金や
物資が寄せられました。大島には，
慰霊碑が建てられ，現在もトルコと
の間に交流が続いています。

世紀	時代
	縄文
	弥生
3	
4	
5	古墳
6	
7	飛鳥
8	奈良
9	
10	平安
11	
12	
13	鎌倉
14	
15	室町
16	安土桃山
17	
18	江戸
19	
20	明治／大正／昭和
21	平成／令和

↑①紡績工場（大阪市，1883年生産開始）

→②盆地の中に建てられた製糸工場（長野県岡谷市，写真は大正時代）

調べる

この時代，日本はどのように国づくりを進め，世界に歩み出していったのでしょうか。

ことば

製糸業と紡績業　どちらも植物や動物などから繊維を取り出して加工し，糸にする工業です。蚕のまゆから生糸（絹糸の原糸）をつくるのが製糸業，綿花から糸をつむぐのが紡績業で，近代化におけるとても重要な産業です。

発展していく日本　日本の産業を発展させ，欧米諸国のような近代的な国づくりをすることが，不平等条約を改正するために必要でした。

　1880年代には，**製糸業と紡績業**がさかんになり，各地に工場が建てられました。中部地方や関東地方では製糸業，大阪を中心とした近畿地方では紡績業がさかんになりました。これらの工場では工女とよばれた人たちが朝早くから夜おそくまで働きました。また，照明に電灯を取り入れる工場も出てきました。生産された糸は，安くて品質がよかったので，輸出されるようになりました。

　こうして，19世紀末から20世紀の初めにかけて，日本はアジアで最も工業のさかんな国になりました。

↑③日本の西洋クラブへの仲間入りをえがい
たまんが　ドアの前でぼうしを取り，あいさつし
ているのが日本です。その後ろにいるのはイギリ
スで，ドイツやフランスなどの西洋クラブのメン
バーにしょうかいしています。日本は，どこか無理
があるようなすがたをしています。

産業の発展と条約改正
には，どのようなつなが
りがあるのかな。

↑④陸奥宗光

　日本の産業が発展していくなかで，外務大臣の
陸奥宗光は，そのころ最も力の強かったイギリス
を相手に交渉を行いました。1894年，ついに条
約の一部を改正して領事裁判権をなくすことに
5　成功しました。イギリスとの条約改正に成功した
背景には，このころアジアでロシアと対立してい
たイギリスが，日本の協力を求めていたという事
情もありました。
　ほかの国々とも同じ改正が実現しましたが，外
10　国からの輸入品に自由な関税をかけることができ
ないという取り決めは，まだ残されたままでした。

まなび方コーナー

グラフから歴史的事象を
読み取る
明治期の工業の発展を考える

【グラフを読み取る】
●全体的にどういう傾向を示している
　かを読み取る。
●変化の様子が特に変わっている年が
　あるかどうかを読み取る。
●二つのグラフの変化の様子を比べて，
　つながりがあるかどうかを確かめる。
【変化の大きい年について調べる】
●その年にどのようなことが起きたの
　か，グラフの変化と関係のありそう
　なできごとをぬき出す。

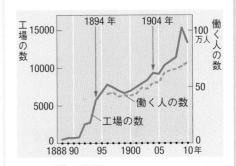

↑⑤工業の発展

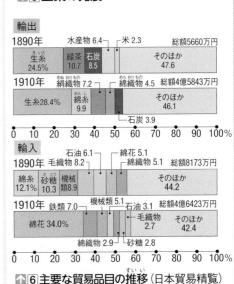

↑⑥主要な貿易品目の推移（日本貿易精覧）

二つの戦争によって，日本と世界の国々との関係は，どのように変わっていったのでしょうか。

日本は，中国やロシアと，どのような関係にあったのかな。

↑① 朝鮮をめぐる，日本，ロシア，中国（フランス人が皮肉をこめてかいた当時のまんが） 日本，ロシア，中国の三つの国の朝鮮をめぐる関係をえがいたものです。

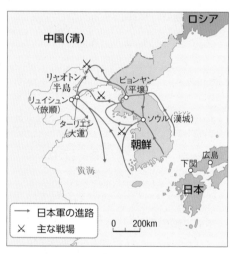

↑② 日清戦争の戦場

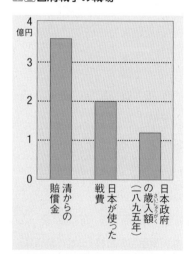

↑③ 清から得た賠償金と戦費

植民地

産業が発達した欧米諸国は，新たな資源や市場を求めてアジアやアフリカの各国に進出し，自国の利益のために支配しました。こうして支配された地域を植民地といいます。

中国やロシアと戦う

日本は，明治の初めに，朝鮮に不平等な条約を結ばせて勢力をのばそうとしました。朝鮮では，中国（清）のえいきょう力が強かったため，日本と清は，対立を深めました。

1894年，朝鮮に内乱が起きると，日本と清はそれぞれ軍隊を送り，両国の間で**日清戦争**が始まりました。この戦争に勝った日本は，清から賠償金をとり，台湾などを日本の植民地にしました。

このような動きに対し，中国東北部（満州）に勢力をのばそうとしていたロシアは，日本の動きに干渉し，日清戦争で手に入れた領土の一部を清に返させました。ロシアはまた，満州へ軍隊を送り，朝鮮（韓国）にも勢力をのばしてきました。

5

10

15

120

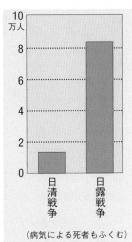

↑**6** 日露戦争の戦場　朝鮮は，1897年に大韓帝国（韓国）と国号を改めました。

↑**7** 二つの戦争での日本の戦死者

（病気による死者もふくむ）

↑**5** 東郷平八郎

↑**4日本軍とロシア軍の戦い**　このリュイシュン（旅順）203高地での戦いで日本軍を率いた乃木希典や日本海での戦いでロシアの艦隊を破った東郷平八郎らの軍人は，戦争を勝利に導いた英雄とされました。

　日本とロシアの対立は深まっていき，1904年に**日露戦争**となり，日本は満州のロシア軍をせめました。日本は，多くの戦死者を出しながらも，日本海での戦いでロシア艦隊を破った東郷平八郎

5　らの活やくもあり，戦争に勝ちました。その結果，樺太（サハリン）の南部と満州の鉄道などを得て，韓国を日本の勢力のもとに置くことをロシアに認めさせました。しかし，戦争の費用負担などで苦しんだ国民の間には，不満が残りました。

10　中国やロシアに対する日本の勝利は，欧米諸国に日本の力を認めさせ，欧米の支配に苦しむアジアの国々を勇気づけました。一方で，朝鮮や中国の人々を下に見る態度が日本人の間に広がっていくきっかけにもなりました。

君死にたまふことなかれ

あゝをとうとよ，
君を泣く，
君死にたまふことなかれ，
末に生れし君なれば
親のなさけはまさりしも，
親は刃をにぎらせて
人を殺せとをしへしや，
人を殺して死ねよとて
二十四までをそだてしや。

↑**8** 戦争への反対
与謝野晶子は，戦場の弟を思う詩を発表して，戦争に反対する気持ちを表しました。

↑**9** 与謝野晶子

🌱ことば

日清戦争・日露戦争　欧米諸国の植民地になることをおそれた日本は，富国強兵などの政策を進めてきました。やがて朝鮮への進出をめぐって，中国やロシアと対立するようになり，戦争が起こりました。

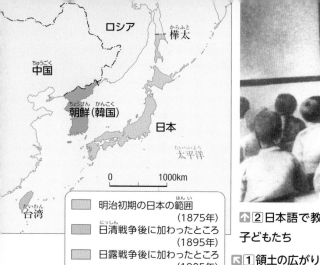

	明治初期の日本の範囲 （1875年）	
	日清戦争後に加わったところ （1895年）	
	日露戦争後に加わったところ （1905年）	
	韓国併合後に加わったところ （1910年）	

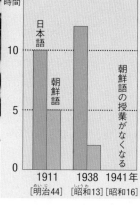

↑②日本語で教育される朝鮮の子どもたち

R①領土の広がり

→③なくなる朝鮮語の授業時間　時間は1週間あたりの授業時数。

調べる

世界の中で日本の立場は，どのように変わっていったのでしょうか。

年	主なできごと
1854	江戸幕府が開国する
1858	不平等な条約を結ぶ
1871	ヨーロッパに使節団が送られる
1883	鹿鳴館で舞踏会などが開かれる
1886	ノルマントン号事件
	このころ条約改正に何度も失敗する
1894	陸奥宗光がイギリスとの条約の一部を改正する
	日清戦争が始まる（～95）
1902	日英同盟を結ぶ
1904	日露戦争が始まる（～05）
1911	小村寿太郎が条約改正を達成する

↑④条約改正の流れ

→⑤小村寿太郎

世界へ進出する日本　日露戦争に勝利した日本は，1910年に人々の抵抗を軍隊でおさえ，朝鮮（韓国）を併合しました（韓国併合）。

　植民地とされた朝鮮の学校では，日本語の教育が始められた一方，朝鮮の歴史は教えられず，人々のほこりが深く傷つけられました。また，土地の制度が変えられて，土地を失った人々が，日本人地主の小作人になったり，仕事を求めて日本などへ移住したりしました。こうした状況に対し，朝鮮の人々はねばり強く独立運動を続けました。

　1911年には，外務大臣の小村寿太郎が条約改正に成功し，関税自主権が回復されました。これによって不平等条約を改正した日本は，欧米諸国と対等な関係をようやく築きました。

外交と小村寿太郎　小村寿太郎は，アメリカに留学した後に外務省に入り，大きな外国人を相手に豊かな語学力で堂々と交渉し，外交の経験を積みました。日露戦争を終わらせるポーツマス条約の締結を実現し，条約改正を達成するなど，日本の外交の立役者となりました。

→⑥イギリス大使当時の小村寿太郎

新しい文学

文学の世界では，社会の変化の中でなやみ苦しむ人々のありのままのすがたが，小説に表現されるようになりました。夏目漱石や樋口一葉など，多くの小説家が活やくしました。

また，詩や短歌・俳句でも，これまでにない新しいものを追い求める動きが広がり，与謝野晶子や正岡子規などがすぐれた作品を発表しました。

↑⑦夏目漱石　↑⑧樋口一葉

世界で活やくした野口英世

野口英世は，15才のときに，やけどのため不自由だった左手の手術をしたのをきっかけに医師になる決意をしました。医師の試験に合格した野口は，やがて北里柴三郎の伝染病研究所に入り，ねる間もおしんで細菌学の研究にはげみました。

1900年，アメリカにわたった野口は，へび毒の研究で注目され，彼の研究は，広く世界に認められるようになりました。

それからも，野口は，南米のエクアドルやアフリカのガーナに行き，原因不明の黄熱病を調査研究しましたが，1928（昭和3）年，ガーナで黄熱病に感染し，なくなりました。

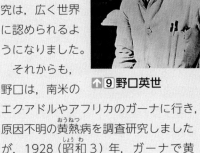
↑⑨野口英世

太平洋の橋に－新渡戸稲造－

国際的な平和を築くことをめざし，1920年に国際連盟が発足しました。そこで事務局次長を務めたのが，新渡戸稲造です。新渡戸は，6年間その役を務め，国際社会の発展のために力をつくしました。

大学入学のとき「太平洋の橋になりたい」といった新渡戸は，日本と外国との間で理解を深めることに力をつくし，特に日米間の良好な関係を重視しました。

↑⑩国際連盟の事務局次長当時の新渡戸稲造（手前中央）

明治の半ばごろから，医学などの分野で，日本の学者による研究が国際的に認められるようになりました。

北里柴三郎は，破傷風という，このころ死亡する人の多かった病気の治療のしかたを発見し，日本の医学が世界に認められるきっかけとなりました。また，北里は伝染病の研究所を設立し，若い医師を育てました。赤痢菌を発見し，その治療薬をつくることにも成功した志賀潔や，このころ原因のわからなかった病気の病原体を研究した野口英世らが，北里の研究所から育ちました。

条約改正や医学などの発展を通して，日本の**国際的地位の向上**が図られました。

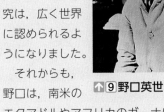

> ### ことば
>
> **国際的地位の向上**　条約改正によって日本は，当時の世界の中心である欧米諸国と対等な立場で貿易を行うようになりました。また，日本人が欧米諸国に留学したり，科学技術や文化を発展させたりすることで，世界も日本の力を認めるようになりました。

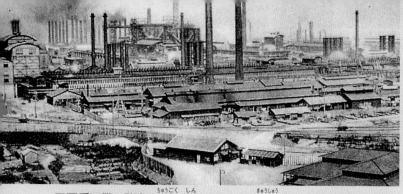

↑1 重工業の発達 中国（清）の鉄鉱石と九州地方の石炭を使い，官営八幡製鉄所（上，福岡県北九州市）は，国内生産の約80％をしめました。

↑2 ラジオ放送が始まる（1925年）

←3 交通の発達 電車やバスなどの交通も整備されました。また，働く女性の活やくの場が増えてきました。

→4 洋服のふきゅう 都市を中心に生活の洋風化が進みました。

調べる

産業の発展によって，人々の生活や社会はどのように変化したのでしょうか。

田中正造と足尾銅山

明治時代の中ごろから，足尾銅山（栃木県）の工場から出る有毒なけむりや廃水が，山林をからし，田畑や川の魚に大きな被害をもたらしました。周辺の農民の生活にも深刻なえいきょうが目立ち始めたため，衆議院議員の田中正造は，足尾銅山の仕事をやめるように政府に何度もうったえるなど，農民の生活を守るために献身的な努力をしました。

↑5 田中正造

足尾銅山●
渡良瀬川
渡良瀬遊水地
利根川

0　　100km

←6 足尾銅山の位置

生活や社会の変化 日本の産業の発展は，都市部の人々を中心に近代的な生活をもたらしました。東京や大阪では，働く女性が増加し，洋服が女性にも広がり始めました。ラジオ放送も始まり，新聞と並ぶ人々の情報源になりました。その一方で，足尾銅山の鉱毒問題や工場で働く人の労働条件など，さまざまな社会問題も引き起こしました。 5

1914年，ヨーロッパで第一次世界大戦が起こると，日本もこの戦争に加わり，戦勝国の一つとなりました。この戦争のえいきょうで輸出が増えて好景気をむかえましたが，戦争の終わりごろから米などの値段が急に高くなりました。人々は，生活を守るために，各地で民衆運動を起こしました。労働者の生活を守るための労働運動や，小作料の引き下げを求める農民運動も起こりました。 10

15

↑⑧米を売る店におしかける人々（名古屋, 1918年）

↑⑦普通選挙の実現を要求するデモ行進（東京, 1920年）

↑⑨女性運動　平塚らいてう（右）や市川房枝（左はし）らは、新婦人協会を設立しました。

　人々の**民主主義**への意識は高まり、普通選挙を求める運動が広く展開された結果、25才以上のすべての男子が、衆議院議員の選挙権をもつようになりました。女性の地位向上をめざす運動も進められました。それまで男性より低く見られ、差別されてきた女性たちは、平塚らいてうや市川房枝などを中心に、選挙権などの権利の獲得、女性や母親の権利を守ることをうったえました。

　また、明治に入って身分制度が改められてからも、就職や結婚などで差別され、苦しめられてきた人々は全国水平社をつくり、差別をなくす運動に立ち上がりました。

山田少年の差別をなくすうったえ

　1922年3月、京都市岡崎の公会堂で、全国水平社の創立大会が開かれました。この大会では、人間を差別する言動はいっさい許さない、と決議され、各地から集まった代表者たちは、その喜びと決意を口々に述べました。少年代表者である16才の山田少年は、差別の現実を報告し、「差別を打ち破りましょう。そして光り輝く新しい世の中にしましょう。」とよびかけました。

→⑩演説する山田少年（1924年, 大阪市）

首都圏をおそった関東大震災

　1923年9月1日、関東地方南部で大きな地震が起き、東京、横浜などで、こわれた家約21万戸、焼けた家約21万戸、死者・行方不明者約11万人もの被害が出ました。また、震災の混乱の中で、朝鮮人が暴動を起こすといううわさが流され、多数の朝鮮人や中国人が殺される事件が起きました。

↑⑪震災後の東京

まとめる

学習問題について
調べてきたことを
人物カードに整理し，
最後に，自分の考えを
ノートにまとめましょう。

学習問題を確認しよう。

学習問題

　日本は，条約改正をめざして，
どのような努力をしたのでしょうか。
また，世界の中で，
日本の立場や国民の生活には，
どのような変化が起こったのでしょうか。

①学習問題について調べてきたことを人物カードに整理しよう。

●陸奥宗光

このころ最も力の
強かったイギリス
を相手に交渉して
（　　　　）を
なくすことに成功
し，条約の一部改
正ができた。

●東郷平八郎

日本海での戦いで
ロシア艦隊を破り，
（　　　　）に勝
った。その結果と
して，日本は，樺
太の南部や満州の
鉄道などを得た。

●与謝野晶子

（　　　　　　）
という題の詩をつ
くって，ロシア軍と
戦う弟を思い，戦
争に反対する強い
気持ちを発表した。

●小村寿太郎

（　　　　　）を
締結して日露戦争
を終わらせた。
（　　　　　）の
回復に成功し，条
約改正を達成した。

●野口英世

自分の左手の手術
をきっかけに医師
になった。アメリ
カへ行って，（
　　　　）の研究に
力を注いで，広く
世界に認められた。

●平塚らいてう

女性の地位向上を
めざす運動を行っ
て，（　　　　）
などの権利の獲得，
女性や母親の権利
を守ることを強く
うったえた。

②学習を通して考えたことをノートに書こう。

まとめの活動にことばを生かそう。

ことば

- 条約改正　● 製糸業と紡績業
- 日清戦争・日露戦争
- 国際的地位の向上
- 民主主義

日本の国力の充実

　不平等条約に苦しんだ日本は，

日本の医学の進歩にこうけん
高木兼寛　〜宮崎県宮崎市〜

　明治時代の人物について調べていたゆうなさんは，日本の医学に大きな功績を残した高木兼寛という人物を見つけたので，くわしく調べました。

高木兼寛について調べました。

　高木兼寛は，江戸時代の終わりに現在の宮崎県宮崎市高岡町に生まれました。鹿児島で医学を学んだ後，海軍省に入った高木は，27才のときにイギリスのロンドンにある医学校に留学します。5年間にわたって進んだ西洋医学を学んで日本にもどった高木は，海軍の船の乗組員に広がっていた「かっけ」の原因をつきとめようとします。そして，病気の原因が米中心の食事にあると考え，実際に軍艦を使用して食事を改善する実験を行い，自分の考えが正しいことを証明しました。

　高木は，医学の面ですぐれた業績を残すとともに，仲間とともに貧しい人のための病院をつくったり，医学校（現在の東京慈恵会医科大学）や看護学校をつくったりするなど，日本の医療の発展にこうけんしました。

↑1 宮崎県総合文化公園に建つ高木兼寛の像
小村寿太郎など，宮崎県出身の6人の銅像が建っています。↗2 イギリス留学中の高木兼寛

↑3 ナイチンゲール　高木の留学先の医学校内には，ナイチンゲールがつくった病とうや看護学校がありました。ナイチンゲールの医療に対する考えが，高木の「病気を見ずに，病人を見よ」という主張にえいきょうをあたえたといわれています。

やってみよう

　明治時代，欧米の進んだ学問を学ぶために，多くの日本人がヨーロッパに留学しました。どのような人がいるか調べてみましょう。

↑4 筑波　かっけの原因を調べる実験に使われた軍艦です。1871（明治4）年に日本海軍がイギリスから買い入れ，「筑波」と名づけられました。

↑①原子爆弾が投下される前の広島の
まちの絵はがき

↑②現在の原爆ドーム 世界遺産

↑③原子爆弾投下後の広島のまち

11 長く続いた戦争と人々のくらし

つかむ

被爆前と後の広島の
写真や年表などの資料を
もとに話し合い，
学習問題をつくりましょう。

0　500km

広島

世界文化遺産の原爆ドーム　1945（昭和20）年8月6日，広島に世界で最初の原子爆弾が落とされ，まちはいっしゅんのうちに破壊され，多くの人々がなくなりました。まちには，原爆ドームとよばれる建物が残りました。　5

「広島のまちが破壊され，焼け野原になっている。どうしてこのようなことが起こったのだろう。」

「原爆ドームはどうして世界文化遺産になったのかな。」　10

りくさんたちは，平和記念資料館の館長さんの話や，この時代の主なできごとについて調べたことをもとに話し合いました。

5 「原爆ドームを保存していくことは，戦争を二度と起こさないという決意の表れなんだね。」

「このころ，長い間戦争をしていたけれど，人々はどのような生活をしていたのだろう。」

学習問題・・・・・・・・・・・・・・・・・・・・・・・・・

長く続いた戦争は，人々にどのようなえいきょうをあたえたのでしょうか。

平和記念資料館の館長さんの話

　たった1発の原子爆弾が広島のまちをいっしゅんで破壊し，原爆の熱線，爆風，放射線で数万人もの人々がなくなりました。1945年の12月末までに約14万人もの人々がなくなったと考えられています。また，放射線のえいきょうで苦しんでいる人が今も大勢います。

　当初，原爆ドームは，保存するかこわすかで議論がありました。しかし，核兵器の被害を伝え，このような悲劇が二度と起きないようにとの願いから，保存運動が進められたのです。世界の人々も，核兵器をなくし，世界平和をめざすちかいのシンボルとして，その価値を認め，1996（平成8）年に世界文化遺産に登録されました。

←④広島市の平和記念式典　原爆ドームのある平和記念公園で毎年8月6日に行われます。

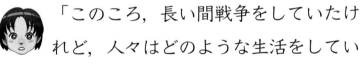

年	主なできごと
1931	満州事変が起こる
1933	日本が国際連盟に脱退を通告する
1937	日中戦争が始まる
1938	国民全員を総動員する法律を出す
1939	第二次世界大戦が始まる
1941	太平洋戦争が始まる
1944	日本の主な都市への空襲が激しくなる
1945	沖縄戦，広島・長崎に原爆投下，終戦

↑⑤この時代の主なできごと

↑① 満州移住をよびかけるポスター
こうしたよびかけは，全国各地で行われました。

↑② 満州へ移住した人々　1941年までに20万人以上の日本人が移住しました。

調べる

日本が中国で行った戦争は，どのような戦争だったのでしょうか。

↑③ 不景気におちいる　失業する人も多く，このようなたき出しもしばしば行われました。

中国との戦争が広がる
　昭和時代になると，世界中が不景気になり，日本でも会社や工場がつぶれ，生活に苦しむ人々が多くなりました。このころ，一部の軍人や政治家などが，中国に日本の勢力をのばすことにより景気を回復しようという考え 5 を，国民の間に広めました。また，その当時，満州（中国東北部）で日本がもっていた権利や利益を守らなければ，日本がほろびると主張する人々もいました。

　このような社会の動きの中で，1931（昭和6） 10 年，満州にいた日本軍が，中国軍を攻撃し，満州事変になりました。その後，戦争は中国の各地に広がっていきました。

↑④ 中国との戦争の広がり

中国との戦争は，どのように広がっていったのかな。

年	月	主なできごと
1931 (昭和6)	9	満州にいた日本軍が中国軍を攻撃する 中国，国際連盟に日本軍の行動をうったえる
1932	2	満州主要部を占領する
	3	日本，中国から満州を切りはなし，独立させる
1933	2	国際連盟，満州国の独立を認めないと決議する
	3	日本，国際連盟に脱退を通告する
1934	3	日本，満州国に皇帝を就任させる
1937	7	日本軍と中国軍がペキン（北京）郊外でしょうとつして，日中戦争となる
	12	日本，ナンキン（南京）を占領 ナンキン事件が起こる

↑⑤ 中国との戦争の流れ

↑⑥ 国際連盟からの脱退　満州国の独立が認められず，議場を退場する日本の代表。

りくさんのまとめたノート

● 満州事変から中国との戦争が始まる

・満州事変で満州を占領すると，中国から切りはなして満州国として独立させ，政治の実権を日本がにぎった。

・国際連盟は，満州の独立を認めなかったので，日本は，国際連盟を脱退し，国際的な孤立を深めた。

● 日中戦争となって，戦地が中国全土に広がる

・1937年，日本軍と中国軍がペキン（北京）郊外で戦いを始め，それが，中国各地に広がって，全面的な日中戦争となった。

・中国の首都ナンキン（南京）を占領したとき，武器を捨てた兵士や，女性や子どもをふくむ多くの中国人が殺害された。

・日本は，首都のナンキンを占領すれば，早く戦争が終わると考えていた。しかし，中国の人々は，日本の侵略に対して抵抗を強め，戦争は日本の予想をこえて長く続いた。

ことば

満州　現在の中国の一部で，日本から多くの会社が進出し，多くの日本人が移住しました。また，資源を手に入れたり，軍事的な拠点としたりするなど，さまざまな面から日本の「生命線」と考えられていました。

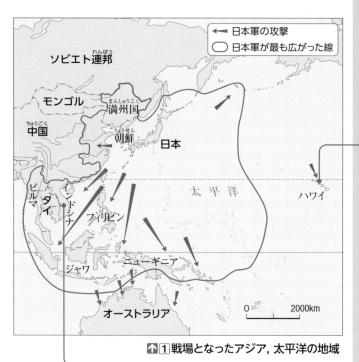

凡例
← 日本軍の攻撃
◯ 日本軍が最も広がった線

ソビエト連邦

モンゴル

満州国

中国

朝鮮

日本

ビルマ

インドシナ

タイ

フィリピン

太平洋

ハワイ

ジャワ

ニューギニア

オーストラリア

0　　　　2000km

↑① 戦場となったアジア，太平洋の地域

↑② 真珠湾の攻撃　ハワイの真珠湾にあったアメリカの軍港を攻撃し，太平洋戦争が始まりました。

↑③ 東南アジアを占領する日本軍（ベトナム）　東南アジアの各国に軍を進めた日本は，次々に占領地を広げていきました。

調べる

戦争は，どのように世界に広がっていったのでしょうか。

日本は，どのような地域に軍隊を進めたのかな。

まなび方コーナー

図書館を利用する
戦争に関係する本を読む

● 図書館でこのときの戦争を題材にした本を探す。
● 国語の教科書でしょうかいされている本などを参考にする。
● 日本以外の国々では，どのようなことが起きたかも調べる。
（「アンネ・フランク」や「杉原千畝」の本などを読んでみる）

戦争が世界に広がる　日本が中国の各地で戦争をしていたころ，ヨーロッパでは，ヒトラーが率いるドイツがまわりの国々を侵略し，1939（昭和14）年，これに反対するイギリスやフランスなどと戦争になりました。こうして，アジアもヨーロッパも戦場となる第二次世界大戦となりました。

日本は1940年に，石油などの資源を得るために，東南アジアに軍隊を進めました。また，ドイツ，イタリアと軍事同盟を結び，アジアの地域を支配しようとしました。このため，イギリスやアメリカなどと激しく対立するようになりました。

↑④戦争へ行く人　見送る人たちは, どのようなことを思っているのでしょうか。

←⑤赤紙　国民は, この召集令状（赤紙といった）により, 兵士として戦地に行くことになりました。

戦争と朝鮮の人々

　戦争が長引き, 日本に働き手が少なくなってくると, 多数の朝鮮人や中国人が強制的に連れてこられて, 工場や鉱山などでひどい条件下で, 厳しい労働をさせられました。

　また, 朝鮮人は, 姓名を日本式に変えさせられたり, 神社に参拝させられたりしました。さらに, 男性は日本軍の兵士として徴兵され, 若い女性も工場などで働かされ, 戦争に協力させられました。

↑⑦兵士となった朝鮮の若者たち

年	月	主なできごと
1941	12	ハワイ真珠湾攻撃
1942	2	マレー半島占領
	6	ミッドウェー海戦敗北
1943	2	ガダルカナル島撤退
1944	7	サイパン島の日本軍守備隊全滅

↑⑥太平洋戦争にかかわる年表

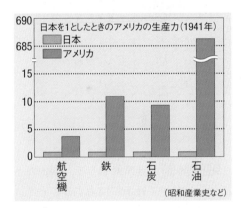

↑⑧日本とアメリカの生産力や資源の差

　日本は, 1941年, ハワイのアメリカ軍港やマレー半島のイギリス軍を攻撃しました。こうしてアメリカやイギリスなどの国々と, 東南アジアや太平洋を戦場にして争う**太平洋戦争**になりました。

5　戦場が拡大し, 戦争が激しくなると, 多くの男性が兵士として戦場に送られました。

　日本は, 初めは勝利しましたが, アメリカ軍の反撃により, 敗戦を重ねていきました。しかし, 正しい情報は国民には知らされず, 多くの国民は,

10　この戦争は「正しい戦争である」という政府の言葉や報道を信じて, 戦争に協力しました。

ことば

太平洋戦争　東南アジアの多くがヨーロッパの植民地だったので, 日本は, ヨーロッパの戦争を機に, これらの地域に軍を進め, 資源の獲得をめざしました。このことがアメリカとの対立につながり, 戦争がアジア・太平洋地域に拡大していきました。戦場となった国に住む人々にも, 大きな被害をあたえました。

① ぜいたくはできないはずだ まち中にこうした看板が多く立てられ，戦争への協力がよびかけられました。

戦争中の生活

② 配給制 戦争が進むにつれて，米や野菜，衣類なども国が管理する配給制になっていきました。大都市での1941年の米の配給量は，一人1日あたり330g，1945年7月からさらに減らされ，300gになりました。

↑③工場で働く女子生徒 兵隊として戦場に行く男性が多くなり，労働力不足になったので，女子生徒も工場などで働きました。

戦争中の標語

- ・アジアは一家 日本は柱
- ・草の根をかむとも 倒せ米と英
- ・欲しがりません 勝つまでは
- ・ぼくらも戦う 職場の戦士

調べる

戦争中，人々は，どのような生活をしていたのでしょうか。

ことば

戦時体制 非常時として，国民が一丸となって戦争に協力することを求められ，協力できない者は，日本国民でないと非難されました。また，政府に対する国民の不満などもおさえつけられました。

制限される情報

天気予報は，戦争に関する重大な情報とされ，国民に知らされませんでした。このため，台風が接近していることがわからず，多くの人が危険にさらされ，高潮などで命を落とす人たちもいました。

すべてが戦争のために あおいさんたちは，戦争中の人々の生活の様子を資料館や図書館で調べて，みんなで発表しました。そして，当時の人々の生活について考えたことを話し合いました。

「人々を戦争に協力させるために，政府は **戦時体制** を強めていきました。くらしは，すべて戦争のために制限され，戦争に協力しない行動は，厳しく取りしまられました。」 5

↑④学校での訓練　学校生活も軍隊式のものになり、戦争の訓練なども行われました。

当時の人々は、どのようなことを考えてくらしていたのだろう。

↑⑥当時の雑誌　子どもの読む本や雑誌にも、戦争を題材にしたものがしだいに多くなっていきました。

9月	朝	昼	夕
22日	▼ごはん ふき	ごはん みそしる	おじや みそしる
23日	▼ごはん みそしる	ごはん ふき	▼おじや ふき
24日	▼ごはん みそしる	▼あじごはん	▼ごはん かつお
25日	▼ごはん みそしる	▼ごはん	▼ごはん にしん
26日	▼ごはん みそしる	▼ごはん	▼ごはん みそしる

▼：量が少なかったとき

↑⑦疎開先での食事の例

↑⑤集団疎開　空襲が激しくなると、都市部の小学生たちは、地方へ集団で疎開しました。

「小学生も学校で戦争の訓練をし、今の中学生くらいの年令になると、勉強をしないで学校や工場で働いていました。戦争が長引くと、大学生も戦場に行って戦うようになりました。」

「戦争の終わりごろには、集団疎開といって都市部の小学生が学校ごとにまとまって地方のお寺などに避難しました。食料やものがなく、たいへんな生活だったそうです。」

年	主なできごと
1938 (昭和13)	国民全員を総動員する法律を出す ガソリンなどの使用が制限される
1939	賃金を統制する 物価を統制する
1940	政党が解散する
1941	米が配給制になる
1942	衣料が配給制になる
1943	大学生が戦場へ行く 学校の体育大会が禁止される
1944	中学生が戦争のために動員される 小学生が集団疎開をする

↑⑧さまざまな生活の制限

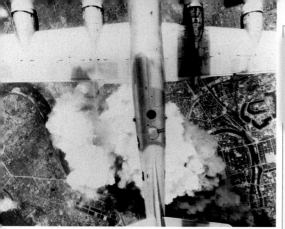

↑①アメリカ軍の飛行機による空襲
大阪のまちも，このように焼夷弾が落とされ，火の海となりました。写真中央の右側には，大阪城が見えます。

↑②防空壕　空襲から避難するために，あちこちに防空壕がつくられました。

調べる

日本各地の都市は，
空襲によって，どのような
被害を受けたのでしょうか。

ことば

空襲　住宅地への爆撃が行われたことで，それまでの戦争とは異なり，兵士以外の一般の国民がたくさんぎせいになりました。太平洋戦争では，約60万人が空襲でなくなりました。

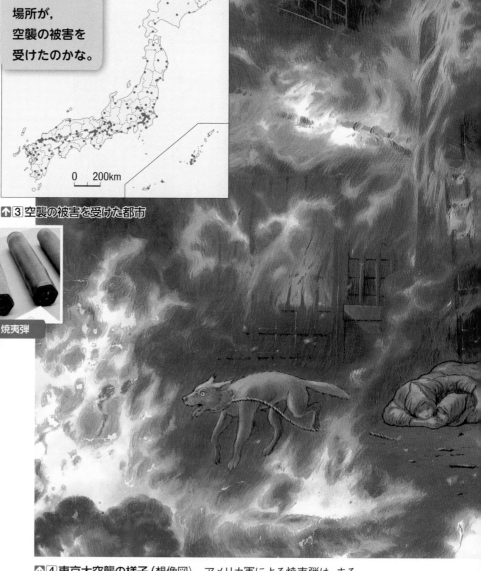

どのような場所が，空襲の被害を受けたのかな。

↑③空襲の被害を受けた都市

0　200km

焼夷弾

↑④東京大空襲の様子（想像図）　アメリカ軍による焼夷弾は，まるで火の雨のようで，多くの人々がぎせいになりました。

空襲で日本の都市が焼かれる　1944（昭和19）年になると，アメリカ軍の飛行機が日本の都市に爆弾を落とすようになりました。軍事施設や工場だけでなく，住宅地も爆撃され，東京や大阪をはじめ，多くの都市が焼け野原となり，多くの人々の命がうばわれました。木造の建物が多い日本では，火災を起こす焼夷弾が使われました。

5

↑⑤ 焼け野原の東京 アメリカ軍の空襲は，無差別に行われ，各地が焼け野原となりました。3月10日の東京大空襲の死傷者は，12万人といわれます。

↑⑥ 空襲の被害を受けたことを示す碑（東京都台東区） 戦後になって，各地にこのような碑や戦争のぎせい者をとむらう像などがつくられました。

東京大空襲を体験した元木さんの話

　　　「早く逃げないと焼け死ぬぞ」という知らない大人の突然の大声に，両親を待たずに弟と防空壕を飛び出してしまいました。真夜中なのに真昼の明るさで，強風

5　が渦を巻く道路は，避難した人たちであふれ，満員電車のようでした。押し出されたわたしが，橋の欄干から見たのは，空からとめどなく落ちる焼夷弾でした。まちは戦場となり，渦を巻く炎が前から襲ってきます。「ウォーン」という不気味な轟音が続き，わたしは恐ろしさで目をつぶり，息を止めて必死に走りました。

10　ふと気がつくと，薄暗いところに一人で立っていました。後から誰も来なくて，わたしはもう何も感じなくなっていました。

まなび方コーナー

聞き取り調査をする
戦争の体験談を聞く

- ●聞き取り調査の日程は，相手の都合のよい日に合わせて決める。
- ●聞き取りをしたい項目を整理し，できれば事前に相手に知らせておく。
- ●聞き取った内容は，要点をしぼってメモする。
- ●聞き取った内容で，確かめたいことなどは，本などでさらに調べる。

①沖縄戦　住民の多くが戦争に巻きこまれ，アメリカ軍の攻撃で追いつめられた住民の中には，集団で自決するなど，悲惨な事態が生じました。

②平和の礎（沖縄県糸満市）　敵味方を問わず，沖縄の戦争でなくなった20万人以上の人々の名前が刻まれています。

③「ひめゆり」の生徒たち　地上戦が始まると，200人以上の女子生徒が陸軍病院に動員され，その多くが命を落としました。

元ひめゆり学徒の証言

夜になるとアメリカ軍は，花火のように明るくなる照明弾を空高く打ち上げ，さまよい歩く避難民の群れをねらい，猛攻撃を続けていた。私はもう絶望的な気持ちになって，よたよたとただ群衆の後について行ったんです。

もうすっかり夜は明けていた。右往左往しながら必死ににげまわっている群衆めがけて艦載機が低空飛行しながら機銃掃射を続けてきた。そのたびに人々がばたばたとたおれていった。それでも群衆はただ歩き続けるだけで，もうきょうふ心もないのです。

調べる

戦争はどのようにして終わったのでしょうか。

中国	約1000万人
朝鮮	約20万人
東南アジア（ベトナム，フィリピン，インドネシア，インドなど）	約890万人
日本	約310万人
（軍人）	約230万人
（民間人）	約80万人

④第二次世界大戦でなくなったアジアの人々　はっきりとした人数はわかっていませんが，各国では，このように推定されています。

原爆投下と戦争の終わり　1945（昭和20）年3月以降，沖縄は海から空から，激しく攻撃されるようになりました。4月になると，約20万人ものアメリカ軍が沖縄島に上陸を始め，攻撃はいっそう激しくなりました。

沖縄でのアメリカ軍との戦いでは，一般の市民や，今の中学生や高校生くらいの生徒までが動員されました。子どもやお年寄りは戦場をさけて，島のあちこちをにげまわりました。

沖縄戦では，県民60万人のうち12万人以上の人がなくなったといわれ，組織的な戦いは，6月23日まで続きました。

↑⑤原爆投下後の長崎のまち（上）と↗⑥平和祈念像（右上）
長崎にも原子爆弾が落とされ，それから数年以内に，14万人以上の人々がなくなったと推定されています。祈念像は被爆から10年後に建てられました。

→⑦玉音放送を聞く人々
ラジオ放送で昭和天皇の声によって戦争の終結が国民に伝えられました。

「終戦の日」の式典には，どのような願いがこめられているのかな。

↑⑧全国戦没者追悼式　今では，毎年8月15日に，戦争の犠牲者をいたみ，平和を願う式典が行われています。

　日本軍は，海外の各地で敗北を重ね，全国の都市が空襲で焼かれて多くの人々が死傷し，さらに沖縄も占領されました。しかし，政府や軍の指導者は，戦争をやめる決断ができませんでした。

5　1945年8月6日に広島，9日には長崎に，アメリカ軍によって原子爆弾が投下されました。1発の爆弾で，いっしゅんにして何万人もの命がうばわれ，まちはふき飛んでしまいました。また，ソビエト連邦（ソ連）軍が，たがいに戦わないという条約を8月8日に破り，満州にせめこみ，や

10　がて樺太南部，千島列島にもせめこんできました。

　8月15日，日本はついに降伏し，アジア，太平洋の各地を戦場とした15年にもわたる戦争が，ようやく終わりました。同時に日本による台湾と

15　朝鮮の植民地支配も終わりを告げました。

ことば

原爆投下　原爆が投下され70数年たった今でも，被爆により苦しんでいる人々がたくさんいます。日本は被爆国として，世界に平和の尊さを発信し続けています。

まとめる

これまで調べてきたことを図に整理し，学習問題についての考えをまとめましょう。

学習問題を確認しよう。

学習問題

長く続いた戦争は，人々にどのようなえいきょうをあたえたのでしょうか。

まとめの活動にことばを生かそう。

ことば

● 満州　● 太平洋戦争
● 戦時体制　● 空襲　● 原爆投下

① それぞれの場所における戦争のえいきょうや，当時の人々の生活について，調べてきたことを ▢ の中に整理しよう。

② 戦争が人々にあたえたえいきょうについて，真ん中の ▢ に自分の考えを書こう。

戦争のえいきょうを，さまざまな面から考えてみよう。

中国や朝鮮

　1931年，満州事変から中国との戦争が始まり，その後，戦地が中国全土に広がった。

東南アジア各国

_____
_____
_____

広島・長崎

_____
_____
_____

学生や子どもたち

_____
_____
_____

戦争が人々にあたえたえいきょう

戦争は，
_____
_____
_____

日本で生活していた多くの国民

_____
_____
_____

満州にわたった人たち

_____
_____
_____

戦場で兵士として戦った人たち

_____
_____

沖縄の人たち

　地上での激しい戦争が行われ，多くの県民がなくなった。

ひろげる

戦争のぎせいになった子どもたち

小桜の塔と対馬丸記念館　～沖縄県那覇市～

　太平洋戦争の学習を通して，沖縄にさらに関心をもっためいさんは，那覇市にある小桜の塔という慰霊碑や対馬丸記念館について調べました。

小桜の塔と対馬丸記念館について調べたこと

　小桜の塔は，対馬丸のイメージをもとにデザインされたもので，両側には，ぎせい者の名前を刻んだ石碑が置かれています。その半分以上は，わたしたちと同じ子どもでした。

　1944（昭和19）年8月21日に那覇港を出港した対馬丸は，護衛艦とともに九州に向かいました。船には，県内各地の国民学校の児童や先生，ほかの疎開者が乗っていました。翌日の午後10時過ぎ，対馬丸は，悪石島の沖合でアメリカの潜水艦が発射した魚雷によってしずめられました。護衛艦は，ほかの船を守るためにおぼれている人の救助ができず，1500人近くの人がぎせいになりました。生存者は，児童59人をふくむ280人しかいなかったといわれています。

◀①遺品のランドセル　対馬丸とは別の船で運ばれ，宮崎県で見つかりました。学童疎開を象徴するものとして，対馬丸記念館のシンボルになりました。

疎開者（児童）	784人
疎開者（大人・幼児など）	655人
船員など	45人
合計	1484人

◀③対馬丸に乗船し，ぎせいになった人（推定）　乗船した人の数，ぎせい者の数とも，確かなことはわかっていません。

↓④対馬丸

↑②小桜の塔　1954年に建てられました。

↑[2] 買い出し列車

↑[1] 戦争が終わった直後の新宿（東京都）

↑[3] 空腹をうったえる少年少女
のプラカード

↑[4] 大陸から引きあげ
てきた子どもたち

12 新しい日本，平和な日本へ

つかむ

写真から気づいた
ことや疑問を出し合い，
学習問題をつくりましょう。

年	主なできごと
1946	日本国憲法が公布される
1952	日本が主権を回復する
1956	国際連合に加盟する
1964	東京オリンピック・パラリンピックが開かれる
1970	日本万国博覧会が開かれる
1972	沖縄が日本に復帰する
1989	昭和天皇がなくなる
	元号が昭和から平成に変わる
1995	阪神・淡路大震災が起こる
2011	東日本大震災が起こる
2019	元号が平成から令和に変わる

↑[5] 戦後から現在までの主なできごと

終戦直後の人々のくらし　戦争は終わりましたが，空襲により多くの都市や工場は，すっかり破壊され，田や畑もあれ果ててしまいました。多くの人々が家を焼かれ，家族を失い，食べ物や日々のくらしに欠かせないものにも不自由する生活をしていました。食べ物が不足して，栄養失調でなくなる人もいました。戦争で親をなくして，孤児となった子どももたくさんいました。

青空教室

　戦争が終わり，1945年9月から，学校が再び始まりました。疎開していた子どもたちも帰ってきました。空襲により校舎が焼けてしまったところでは，校庭にいすを並べた「青空教室」で勉強しました。

↑⑥東京オリンピック・パラリンピックが開かれたころの　↑⑦現在の新宿
新宿

「戦争が終わっても生活は苦しいものだったんだね。どうやって今のような日本にしていったのだろう。」

「東京オリンピック・パラリンピックが開かれたころの新宿のまちは，空き地がなく，かなり復興しているね。復興に向けた努力があったのだと思います。」

「たいへんな生活をしていた戦争が終わった直後から，現在のような日本になるまで，だれがどのような努力をしたのだろう。」

5

10

戦争が終わった直後から，どのように変わってきたのかな。

まなび方コーナー ◉

複数の写真から読み取る
戦後から現在までの変化を考える

- 写真を見比べて，大きく変わっているところ，それほど変わっていない所を探す。
- 写真の中で，最もちがうところは何か。
- 共通して見られるものはないか。
- 過去の写真を見て，当時の人々はどのような気持ちだったのかを考える。

学習問題 ⋯⋯⋯⋯⋯⋯⋯⋯⋯⋯⋯⋯

戦後の日本は，人々のくふうや努力によって，どのように変わっていったのでしょうか。

世紀　時代
縄文
弥生
3
4
古墳
5
6
7　飛鳥
8　奈良
9
10　平安
11
12
13　鎌倉
14
15　室町
16
安土桃山
17
18　江戸
19
明治
大正
20　昭和
平成
21　令和

↑① 初めて投票する女性

↑② 初めて誕生した女性国会議員

←③ 戦時中の教科書（左）とすみぬりの教科書（右）　教科書は，戦争中のものがそのまま使われましたが，軍事教育に関するような内容は不適切だとして，すみで消されました。

調べる

戦争の後，日本ではどのような改革が行われたのでしょうか。

ことば

戦後改革　民主主義にもとづく現在の政治や社会のしくみの多くは，このときの改革でつくられました。日本国憲法の三つの原則（国民主権・基本的人権の尊重・平和主義）もこのときに定められました。

民主主義による国をめざして　敗戦によって日本は，アメリカなどの連合国軍に占領されました。

　日本政府は，連合国軍の指導により，民主主義国家として再出発するために，**戦後改革**とよばれる多くの改革を行いました。選挙制度では，満20才以上の男女に平等に選挙権が保障されました。

　学校教育では，小学校6年間，中学校3年間の9年間が義務教育になり，子どもが教育を受ける権利が保障されました。男女共学が法律で定められ，学校給食も始まりました。

◆戦後改革とそのえいきょう

一言コメントなど

年	月	主なできごと
1945	9	軍隊が解散させられる ●
	10	連合国軍が民主化の指示を出す
	11	特定の大会社が解散させられる
		政党（せいとう）が復活する
	12	女性の参政権（さんせいけん）が認（みと）められる ●
		労働者の権利（けんり）が保障（ほしょう）される
		農地改革が始まる ●
1946	11	新しい憲法が公布される
1947	3	教育の制度が変わる ●
	5	新しい憲法が施行（しこう）される

● 二度と戦争をしないことをみんながちかいました。

● 男女平等の世の中になり，女性の議員も生まれました。

● 小作農家（こさく）も自分の農地をもてるようになったんだ。

● 今の学校のしくみは，このときから始まったんだね。

さらに，1946（昭和（しょうわ）21）年11月3日，日本国憲法（けんぽう）が公布され，翌年（よくねん）5月3日から施行（しこう）されました。この憲法は，新しく選ばれた国会議員によって決められ，平和と民主主義が日本の進む方向として定められました。

「女性に選挙権が保障された初めての選挙は，1946年4月に行われました。このとき，女性の国会議員が39名選ばれたそうです。」

「教育の目標や制度も大きく変わりました。憲法の考えにもとづき，平和な国や社会をつくる国民を育てていくための教育の目標が立てられました。」

↑⑤昭和天皇（しょうわてんのう）が参加した憲法公布の記念祝賀会

こんどの憲法では，日本の国が，けっして二度と戦争をしないように，二つのことをきめました。その一つは，兵隊（ぐんかん）も軍艦も飛行機も，およそ戦争をするためのものは，いっさいもたないということです。（中略）これからさき日本には，陸軍も海軍も空軍もないのです。しかしみなさんは，けっして心ぼそく思うことはありません。日本は正しいことを，ほかの国よりさきに行ったのです。世の中に，正しいことぐらい強いものはありません。

↑⑥憲法についての教科書「あたらしい憲法のはなし」の平和主義に関する内容（一部）

↑① **インドネシアの独立** 長い間植民地とされてきたアジアやアフリカの国々が次々に独立を果たしました。

調べる

日本が世界の仲間にもどるまでには、どのようなことがあったのでしょうか。

↑③ **朝鮮戦争** 1950年、韓国と北朝鮮の間に戦争が起こりました。

↑④ **新しい兵器** 1954年、アメリカが水爆実験を行い、日本の漁船が被爆しました。

ことば

国際連合 第二次世界大戦の反省のもとに設立され、多くの国々が協力し合って、国際的な問題解決をする場となりました。国連加盟後、日本もさまざまな活動に協力し、世界の国々からその活やくが認められています。

↑② **サンフランシスコ平和条約に調印**（1951年） 48か国と平和条約を結びました。しかし、中国は招待されず、ソ連、ポーランドなどは調印をこばみ、インド、ビルマ（現・ミャンマー）などは欠席しました。

再び世界の中へ 第二次世界大戦後、国際社会の平和を守るため、**国際連合**がつくられました。しかし、アメリカとソ連の対立が深まり、世界が二つに割れ始めました。朝鮮は、アメリカが支援する韓国とソ連が支援する北朝鮮に分かれて対立し、1950（昭和25）年には朝鮮戦争が起こりました。 5

日本は、1951年にアメリカで開かれた講和会議で48か国と平和条約を結び、翌年に占領が終わって、主権を回復しました。アメリカと安全保障条約を結んで、その関係を強めましたが、沖縄は、アメリカに占領されたままでした。また、ソ連や中国などの国とは、平和条約を結ぶことができませんでした。 10

1956年に国際連合への加盟が認められ、再び国際社会に復帰しました。 15

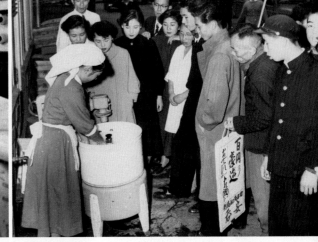

＊1963年以前は都市，それ以降は全世帯

保有率（％）

白黒テレビ　電気洗濯機　電気冷蔵庫　カラーテレビ　ルームエアコン　乗用車

1958年　1960　1965　1970　1975

（家計消費の動向ほか）

↑⑤⑥「三種の神器」　テレビ，電気冷蔵庫，電気洗濯機が三種の神器といわれました。

←⑦電化製品のふきゅうの様子　経済の成長にともなって，電化製品は急速に各家庭に広まりました。

電化製品のふきゅう率は，どのように変わってきたのかな。

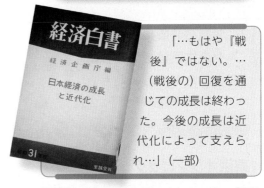

経済白書
経済企画庁編
日本経済の成長と近代化
31

「…もはや『戦後』ではない。…（戦後の）回復を通じての成長は終わった。今後の成長は近代化によって支えられ…」（一部）

↑⑧「もはや戦後ではない」　1956年の「経済白書」は，復興の時期は終わったとして，このような表現をしました。

　国際社会に復帰した日本は，アメリカの協力により，産業を急速に発展させました。生活もしだいに向上し，家庭では，「三種の神器」とよばれたテレビ，電気冷蔵庫，電気洗濯機などの電化製品

5　が広まり，人々の生活は豊かになっていきました。

　日本の復興は，国民の努力に支えられていました。中学校を卒業すると，都会の工場などに集団で就職する「金の卵」といわれた若い人たちもいました。雪で農業ができない冬の間，工場や建

10　設現場で働く人たちもいました。

　会社は，設備を大きくすることや技術の開発を優先し，政府も産業の発展のために，ダムや港の建設，道路の整備に予算を使いました。

↑⑨都会の工場などに就職する若者たち

↑①②東海道新幹線の開通（1964年）と，オリンピックに向けてつくられる高速道路（1963年ごろ）

↑③東京オリンピックの開会式の様子（1964年）

調べる

産業の発展により，人々の生活はどのように変化したのでしょうか。

ことば

東京オリンピック　外国から来る大勢の選手や観客をむかえるために，さまざまな施設や交通機関が整備されました。オリンピックの開催は，好景気をもたらすと同時に，戦後の復興を人々に実感させました。

東京パラリンピック

1964年11月8日，22か国が参加して，東京パラリンピックの開会式が行われました。費用は，国や東京都のほか，企業や民間の寄付でまかないました。また，たくさんの人がボランティアとして参加し，大会を支えました。

高度経済成長の中の東京オリンピック

1964（昭和39）年に，アジアで初となる**東京オリンピック**が開かれました。植民地支配から独立したばかりの国々も参加し，過去最多の参加国・地域となりました。またこの年，第2回パラリンピックも，東京で開かれました。 5

オリンピックに向けて，競技施設だけでなく，ホテルがいくつも建てられ，道路や下水道が整備されました。高速道路や地下鉄も新たにつくられました。また，東京と大阪の間には，東海道新幹 10
線がつくられました。

「東京オリンピックは，戦後の日本がスポーツで世界にこうけんできる機会になったんだね。また，日本の復興を世界に伝えることができ，世界からも認められました。」 15

←④コンビナートの
工場群から出るけむ
り（1972年）

↑⑤日本万国博覧会（1970年，
大阪府）　2025年には，再び大
阪で万博が開かれます。

年	主なできごと
1952	第15回オリンピックに復帰（ヘルシンキ）
1956	個人所得，戦前水準に回復
1964	第18回オリンピック・第2回パラリンピック（東京）
1967	国民総生産世界3位
1968	国民総生産世界2位
1972	第11回冬季オリンピック（札幌）
1998	第18回冬季オリンピック・第7回冬季パラリンピック（長野）

↑⑥経済の成長とオリンピック

　　　1960年に政府は，国民所得倍増計画を発表し，産業を急速に発展させる政策を進めました。製鉄・火力発電・石油精製などの重化学コンビナートがつくられ，各地の港が整備されていきました。政府は，貿易の拡大，輸出の増加にも力を入れ，1968年には，国民総生産額がアメリカに次いで世界第2位になりました。

　　　国民の生活も豊かになり，三種の神器にかわり，3C（カー，クーラー，カラーテレビ）が多くの家庭に広まりました。

　　　しかし，このように産業が発展していく一方で，水や空気が汚染され，公害などの環境問題も生まれてきました。

　　　「産業が発展して生活が便利になったのはよかったけれど，環境のことを考えずに公害を出してしまったことは問題だと思います。」

↑⑦水俣病をめぐる裁判（1992年）　補償を求める人々の裁判には，現在でも続いているものがあります。

どのような場所で
公害などの問題が発
生したのかな。

↑②地球サミット（1992年）　豊かな生活と環境を両立させる「持続可能な開発」を進めるために，将来に向けて地球環境を守る行動計画がつくられました。

さまざまな課題に対して世界はどのような協力をしているのかな。

↑①ベルリンの壁の崩壊（1989年）　アメリカとソ連の対立の象徴だった壁は，ドイツの市民によって取りこわされました。

調べる

日本は今，どのような変化の中にいるのでしょうか。

↑③土地の買いしめによりめだつ空き地（東京都，1990年）　バブル経済による好景気の中で，地価が上昇することを見こした土地の買いしめ（地上げ）が増えました。

変化の中の日本　第二次世界大戦後から続いてきた，世界をアメリカ側とソ連側の二つに割っての大きな対立は，1989年に終わりました。しかし，その一方で，世界各地で紛争が起きるようになりました。戦争や紛争を防ぐため，国際連合を中心に，さまざまな努力がなされています。5

　日本国内では，1980年代後半から，土地などの価格が本来の価値よりも急激に高くなるバブル経済となりましたが，1991（平成3）年に崩壊し，その後，不景気が長く続くこととなりました。10また，日本の人口は，2008年をピークに減少に転じ，少子高齢化も急速に進んでいます。

「さまざまな面で世界や日本は変化しているんだね。地球環境問題など，解決しなければならない課題も多くあります。」15

←4 東日本大震災でボランティアをする子どもたち　避難場所となった小学校などで, 子どもたちもボランティアに参加しました。

↑5 阪神・淡路大震災　1995年1月17日, 兵庫県南部で大地震が発生し, 6400人以上がなくなりました。

↑6 熊本地震の復興を願い, ライトアップされた熊本城（熊本県, 2017年）

　　世界でも有数の地震国といわれる日本では, 平成に入り, 大きな自然災害があいついで発生しました。1995年には阪神・淡路大震災, 2011年には東日本大震災が発生しました。東日本大震災では, 地震により津波が発生し, 東北地方から関東地方にかけての太平洋沿岸の広い範囲に大きな被害をもたらしました。

　　被災した地域には, 日本中から, そして外国からも, 多くの**ボランティア**が支援のために集まり, 人々の支えとなりました。

　　こうした大きな災害によって, 防災やエネルギーの課題が明らかになる一方, 地域のつながりの大切さが改めて注目されています。

　　これからは, 地域や社会の課題に, わたしたち一人一人がこれまで以上に積極的にかかわっていくことが求められています。

> **ことば**
>
> **ボランティア**　阪神・淡路大震災や東日本大震災では, 各地から多くのボランティアが被災地にかけつけ, たき出しやがれきの撤去などを行いました。その後に発生した大きな自然災害においても, こうしたボランティアがさまざまな活動をしています。

世界に広がる日本の文化や技術

↑①和食　2013年，和食がユネスコ無形文化遺産に登録されました。

←③外国で開かれる日本の文化をテーマにした催し（フランス，2017年）

↑②ノーベル賞を受賞した大隅良典さん（2016年）

世界にほこる日本の文化や技術には，ほかにどのようなものがあるかな。

調べる

これからの日本は，どのような国をめざしていったらよいのでしょうか。

・防災に向けた取り組み
・少子化や高齢化，社会保障の問題
・お年寄りや障がいのある人たちの人権
・女性の人権や社会参加の権利をめぐる問題
・アイヌ民族，在日韓国・朝鮮人，外国人への偏見や差別の問題
・領土をめぐる問題

↑④クラスで話し合うために出した問題の例

これからの日本を考えよう　戦後，日本は平和で豊かな社会を築き，国際社会の一員としての役割を果たしてきました。元号が平成から令和に変わった今，日本の文化や技術は，世界で認められ，さまざまな面で世界にこうけんしています。しかし，防災をはじめ，少子化，高齢化，人権，領土など解決すべき課題も数多くあります。こうした課題の中から，いくつかを選んで話し合い，日本がどのような国になるべきかを考えましょう。

「『よりよく，より豊かに生きたい。』とそれぞれの時代の人々が努力してきたおかげで，現在のわたしたちがあるんだね。」

「今でも差別や偏見が残っているから，これからもなくしていく努力が必要だね。」

アメリカ軍基地が残る沖縄

　沖縄は，戦後もアメリカに統治されていましたが，祖国復帰運動などの努力が実り，1972（昭和47）年に日本に返還されました。しかし，県の面積の約10%をしめるアメリカ軍基地は，残されたままで，基地の移転問題やアメリカ軍の兵士が起こす事件など，基地の存在は現在も大きな課題となっています。

↑⑤沖縄のアメリカ軍基地

→⑥アイヌ文化フェスティバル事業　アイヌ文化に親しんでもらう場となっています。

アイヌの伝統文化を守るために

　戦後になっても，アイヌの人々は明治時代の法律が適用されたままでした。1997（平成9）年にようやくアイヌ文化を守る新しい法律が制定され，2008年には国会で「アイヌ民族を先住民族とすることを求める決議」が可決されました。2020年には，北海道白老町に国立アイヌ民族博物館が開館する予定です。

まわりの国と日本

　日本は，海をへだててまわりの国と接しています。戦後，平和で民主的な国家として再出発した日本は，これらの国との関係を深めてきました。

↑⑦北方領土，四つの島

　ロシア連邦とは，1956年に国交を回復（当時はソビエト連邦）しました。しかし，日本固有の領土である北方領土の返還問題が残されています。

　大韓民国（韓国）とは，1965年に朝鮮半島を代表する政府として条約を結び，国交を正常化して友好関係を深めています。貿易だけでなく，人や文化の交流もさかんになっています。一方で，日本固有の領土である竹島を，韓国は1954年から不法に占領しており，日本は抗議を続けています。

　朝鮮民主主義人民共和国（北朝鮮）とは，2002年に初の首脳会談が行われました。しかし，北朝鮮が日本人を無理やり連れ去った拉致問題や核兵器の開発などの多くの問題が残されています。

　中華人民共和国（中国）とは，1972年に国交が正常化され，1978年には日中平和友好条約を結びました。貿易や産業技術の提携などを通して，関係が深まっています。一方，中国は日本固有の領土である尖閣諸島の領有を主張していますが，尖閣諸島は日本が有効に支配しており，領土問題は存在しません。

　日本は，まわりの国々やほかのアジアの国と友好関係を築いてきましたが，解決すべき問題も数多く残されています。

↑⑧北朝鮮から帰国した拉致被害者（2002年）

↑⑨日中平和友好条約の調印（1978年）

まとめる

ことばを使って，学習問題について調べたことを年表に整理し，キャッチフレーズをつくりましょう。

学習問題を確認しよう。

学習問題

戦後の日本は，人々のくふうや努力によって，どのように変わっていったのでしょうか。

まとめの活動にことばを生かそう。

ことば

● 戦後改革　●国際連合
● 東京オリンピック
● ボランティア

① 表に整理されたできごとに，一言コメントをつけよう。

それぞれのできごとによって，社会の様子はどのように変わってきたのかな。

◆◆戦後の復興から新しい時代へ◆◆

年	主なできごと
1946	日本国憲法が公布される ●
1947	教育の制度が変わる
1951	サンフランシスコ平和条約が結ばれる
1952	占領が終わり，主権を回復する
1956	国際連合に加盟する
1958	東京タワーが建てられる
1964	東京オリンピック・パラリンピックが開かれる ●
1972	札幌オリンピックが開かれる（冬季）
	沖縄が日本に復帰する
1978	日中平和友好条約が結ばれる
1985	男女雇用機会均等法が公布される
1989	昭和天皇がなくなる
	元号が昭和から平成に変わる
1995	阪神・淡路大震災が起こる
2002	日本と韓国でサッカーワールドカップが開かれる
2011	東日本大震災が起こる ●
2012	東京スカイツリーが建てられる
2019	元号が平成から令和に変わる
2021*	東京オリンピック・パラリンピックが開かれる（予定）

一言コメント

● 新しい憲法に，平和と民主主義が日本の新しく進む方向だと定められました。

● 1964年の東京オリンピック・パラリンピックの成功は，産業をさらに発展させました。

● 東日本大震災が起こり，広い範囲に大きな被害をもたらしました。

＊2020年に開かれる予定でしたが，新型の感染症が広がったことで，延期になりました。

↑ 1 ひろとさんがまとめた作品

154

②できあがった作品をもとに時代を表すキャッチフレーズをつくり，
友だちと話し合おう。

キャッチフレーズづくりの手順

❶ それぞれの見開きのキーワードであることばを確認し，
ことばが象徴するできごとを一つ選ぼう。

- 戦後改革
- 国際連合
- 東京オリンピック
- ボランティア

↓

❷ 一言コメントをもとに，時代を表すようにまとめよう。

> 【一言コメント】
> 　新しい憲法に，平和と民主主義が日本の新しく進む方向だと定められました。
>
> 【キャッチフレーズ】
> 今の平和な日本のもとになった日本国憲法

↓

❸ つくったキャッチフレーズについて，友だちと話し合おう。

> 戦後改革によって，日本は平和と民主主義の国になっていったんだね。

> 政治の学習で，平和主義が憲法の三つの原則の一つだと学んだね。

> 例にならって，ほかの時代のキャッチフレーズもつくってみるといいね。

【ほかの時代のキャッチフレーズ】
- 江戸幕府（えどばくふ）を安定させた徳川家光（とくがわいえみつ）
- 国民の声を政治につなげた自由民権運動（じゆうみんけん）

いかす

歴史学習をふり返ろう

カードを使って，これまで
学習してきた歴史をふり返ろう。

①これまで学習してきたすべての時
代について，その時代の社会の様
子を書いたカードをつくろう。

②それぞれの時代のできごとや活や
くした人物や文化遺産などについ
て確認しながら，現在のわたした
ちのくらしとのかかわりについて，
みんなで発表し合おう。

③歴史を学ぶ意味について考え，意
見文を書こう。

　歴史学習は，単に昔のことを覚え
ていくだけではありません。歴史を
学ぶことを通して，わたしたちは過
去の人々が受けついできた文化を未
来の人々に伝えていくとともに，わ
たしたちがどう考え，どう行動すれ
ばよいのかのヒントを歴史か
ら学ぶことができます。つまり，
歴史を学んでいくということは，
わたしたちの現在や未来の生き
方を考えていくことなのです。

◆米づくりが始まり，生
活や社会の様子が変化
した。
◆むらはくにへと発展
し，やがて大和朝廷によ
り国土が統一された。

◆聖徳太子の国づくり
は，中大兄皇子や藤原鎌
足によって受けつがれた。
◆聖武天皇のころに天皇
中心の国づくりが確立し
た。

歴史を見ると，大陸から
さまざまなことを学んでき
たことがわかるね。現在で
は世界にほこれる日本の技
術がたくさんあるね。

大陸から伝わっ
てきた米づくりは，
現在では日本各地
で行われているね。

みんなで
発表し合う

日本の世界遺産など
多くの文化財が，人々
の努力によって大切に
保存されてきたんだね。

歴史の中で活やくし
た女性がいました。現
在は，男性も女性も活
やくする社会だね。

◆戦後さまざまな改革を
行い，平和で民主的な国
家として出発した。
◆国民生活が向上し，国
際社会で重要な役割を
果たしてきた。

◆長く続いた戦争は，国
民生活に大きな影響をお
よぼし，国民やアジア諸
国の人々に大きな被害を
もたらした。

◆藤原道長たち貴族が活やくしたころ，日本風の文化が生まれた。

◆平清盛，源頼朝，義経らの働きで武士による政治が始まった。
◆源頼朝はご恩と奉公の関係によって武士たちを従えた。

◆室町幕府のころ生まれた文化は，今も多くの人々に親しまれている。

まなび方コーナー

意見文を書く
歴史の学習をふり返る

【書く前に内容を整理する】
- 日本の歴史を学んで，強く心に残っていることは何か。
- それにかかわる人物や文化遺産(いさんかく)を確認(にん)する。

【書くときに注意すること】
- いくつの意見があるのか，それを中心に全体を構成する。
- 歴史の学習を通してわかったことから，どんなことを感じたか，考えたかを書く。
- 最後に，歴史から学んだことを現在や未来の生き方にどのように役立てたいかを書く。

◆江戸時代の中ごろには，町人が歌舞伎や浮世絵を楽しむようになった。
◆西洋の学問（蘭学）を学ぶ人々が増え，国学も広まった。

◆徳川家康が開いた江戸幕府は，さまざまな政策を通して将軍の権力を確立した。
◆身分制社会で武士の安定した政治が行われた。

◆織田信長や豊臣秀吉は，武力や政治の工夫，外国とのつながりなどで力を発揮して，戦国の世を統一していった。

◆明治政府は，さまざまな改革を行って国の政治を整えた。また，欧米の文化を取り入れながら国の近代化を進めた。

◆日清・日露戦争に勝利し，国際的地位が向上した。
◆産業の発展は人々の生活や社会に大きな変化をもたらした。

意見文を書く

日本の歴史を学んで考えたこと

今野(こんの)ひろと

歴史でいろいろな時代の人物や文化遺産を勉強してきました。その中で強く心に残っていることは、鎌倉幕府(かまくらばくふ)が危機(きき)をむかえたときに、頼朝の妻の北条政子(ほうじょうまさこ)が、ご恩と奉公(おん・ほうこう)をうったえて幕府を守ったことです。歴史の勉強で女性が出てくるのは少しでしたが、とてもすごい人だと思いました。

今の世の中から見ると、昔の人々がみんな幸せだったとは思えませんが、どの時代にもいろいろなできごとがあり、そのころの人々が、いろいろ考えて生きてきたことがわかりました。

三内丸山遺跡(さんないまるやまいせき)や板付遺跡(いたづけ)が地面の下から見つけ出されたり、いろいろな時代の建物の跡(あと)が発見されたりしたのにはおどろきました。今わたしたちが生活している足もとに歴史がうまっているように思いました。ただ、何となく昔の建物やその跡(あと)だと思っていた文化遺産も、その時代の人々の知恵(ちえ)と努力によりつくられ、大切に守られてきたものであることがわかりました。

日本の歴史は、昔の人々がたくさんの努力をしたり、考えたりしてつくりあげてきたもので、今の日本は、その積み重ねの結果としてあるのだと思います。歴史を勉強して、わたしたちは、長い時間をかけて昔の人々がここまで築き上げてきた日本の歴史を大切にしていく責任を感じるようになりました。また、昔の人々が知恵を出し合い、努力してつくってきた今の日本をさらによい国にしていきたいと思います。

日本の世界文化遺産

ユネスコの世界遺産条約にもとづき，人類共通の宝物（たからもの）として守り，次の世代に伝えていきたい文化財や自然環境（かんきょう）が，世界文化遺産，世界自然遺産として登録されています。

日本には19の世界文化遺産があるんだ。どのようなものがあるかしょうかいするよ。

- ● 世界文化遺産
- ・ 明治日本の産業革命遺産（8県23か所）
- ▲ 長崎と天草地方の潜伏キリシタン関連遺産（2県12か所）

④白川郷・五箇山の合掌造り集落（富山県・岐阜県）
③古都京都の文化財（京都府・滋賀県）
⑲百舌鳥・古市古墳群（大阪府）
②姫路城（兵庫県）
⑪石見銀山遺跡とその文化的景観（島根県）
⑤原爆ドーム（広島県）
⑥厳島神社（広島県）
⑰「神宿る島」宗像・沖ノ島と関連遺産群（福岡県）
①法隆寺地域の仏教建造物（奈良県）
⑩紀伊山地の霊場と参詣道（奈良県・和歌山県・三重県）
⑨琉球王国のグスク及び関連遺産群（沖縄県）
⑫平泉―仏国土（浄土）を表す建築・庭園及び考古学的遺跡群（岩手県）
⑧日光の社寺（栃木県）
⑭富岡製糸場と絹産業遺産群（群馬県）
⑯ル・コルビュジエの建築作品―近代建築運動への顕著な貢献―（国立西洋美術館［東京都］をふくむ7か国17資産）
⑬富士山―信仰の対象と芸術の源泉―（静岡県・山梨県）
⑦古都奈良の文化財（奈良県）

0　　300km

①法隆寺地域の仏教建造物 仏教を重んじ，法隆寺などを建てた人物は，どのような政治を行ったでしょう。▶ p.25

②姫路城 白い壁で統一され，しらさぎが羽を広げたように見えることから「白鷺城（はくろ）」とよばれています。

③古都京都の文化財 京都は古くから日本の政治や文化の中心でした。金閣と銀閣を比べて，それぞれの文化の特徴をあげてみましょう。▶ p.56

④白川郷・五箇山の合掌造り集落 急なかたむきの大きな茅ぶき屋根の下には広い空間があり，大家族がくらしていました。

⑤原爆ドーム 原爆ドームは，どのような願いをこめて保存されているのでしょうか。▶ p.129,139

⑥厳島神社 一族の繁栄を願って，厳島神社に平家納経を納めた人物はだれでしょう。▶ p.47

⑦古都奈良の文化財（写真は唐招提寺，奈良県奈良市） 奈良に都があったころ，大陸からどのような文化や学問，技術が伝えられたでしょう。▶ p.32

⑧日光の社寺 日光東照宮にまつられている，江戸幕府を開いた人物はだれでしょう。▶ p.78

⑨琉球王国のグスク及び関連遺産群　多くのグスク（城）を建てた琉球王国は，どのようにして栄えたのでしょう。▶p.87

⑩紀伊山地の霊場と参詣道　深い山々が南の海にせまる独特な地形で，自然が尊ばれ，古くから仏教の修行場でした。

⑪石見銀山遺跡とその文化的景観　石見銀山の銀は，どのように日本からヨーロッパ，世界へと広がったのでしょう。▶p.73

⑫平泉－仏国土（浄土）を表す建築・庭園及び考古学的遺跡群－　平泉はどのような願いをこめてつくられたのでしょう。▶p.42

⑬富士山－信仰の対象と芸術の源泉－　古くから日本を代表する山として親しまれてきました。教科書の中から富士山がえがかれた浮世絵を探してみましょう。▶p.91

⑭富岡製糸場と絹産業遺産群　1872年に官営工場として完成し，質の良い生糸を大量に生産しました。▶p.106

⑮明治日本の産業革命遺産（写真は端島炭鉱跡，長崎県長崎市）　ほかにどのような資産が登録されているのか調べてみましょう。

⑯ル・コルビュジエの建築作品－近代建築運動への顕著な貢献－（写真は国立西洋美術館，東京都台東区）　フランス，ドイツ，インドなど，7か国17資産が登録されています。

⑰「神宿る島」宗像・沖ノ島と関連遺産群　大和朝廷により国家の平和や航海の安全などをいのる儀式が行われ，その伝統が今日まで継承されてきました。

⑱長崎と天草地方の潜伏キリシタン関連遺産（写真は大浦天主堂，長崎県長崎市）　日本にキリスト教が広まったころの世の中は，どのような様子だったでしょう。▶p.68

⑲百舌鳥・古市古墳群　4世紀後半から5世紀後半にかけてつくられた古墳が，多く残っています。古墳から，どのようなことがわかるでしょうか。▶p.18

これらの遺産は，どのような歴史のなかで育まれてきたのか，今まで学習してきた内容と結びつけて考えてみよう。

昔から今日まで受けつがれてきた世界文化遺産を未来に引きつぐために，わたしたちにはどのようなことができるかしら。

さくいん　ことがら・人物